2061 : odyssée trois

Arthur C. Clarke

2061 : odyssée trois

roman
Traduit de l'anglais
par France-Marie Watkins

ALBIN MICHEL

Édition originale américaine :

2061 : ODYSSEY THREE
© 1987 by Serendib BV
Publié avec l'accord de Ballantine Books,
une division de Random House, Inc., New York.

Traduction française :

© Éditions Albin Michel S.A., 1989
22, rue Huyghens, 75014 PARIS

ISBN 2-226-03652-0

À la mémoire de Judy-Lynn Del Rey,
éditeur extraordinaire
qui acheta ce livre pour un dollar
mais ne sut jamais qu'elle en avait eu pour son argent

NOTE DE L'AUTEUR

Tout comme *2010 : Odyssée deux* n'était pas une suite directe de *2001 : L'Odyssée de l'Espace*, ce livre-ci n'est pas une simple suite à *2010*. Il s'agit de variations sur un même thème, comportant pour l'essentiel les mêmes personnes et les mêmes situations, mais ne se déroulant pas nécessairement dans le même univers.

Les événements survenus depuis 1964, date à laquelle Stanley Kubrick suggéra (cinq ans avant que des hommes mettent le pied sur la lune !) de tenter « le légendaire *bon* film de science-fiction », empêchent d'imaginer une suite, du fait que les derniers récits tiennent compte de découvertes et de circonstances encore inconnues au moment de la rédaction des premiers livres. *2010* a été rendu possible par l'éclatante réussite des survols de Jupiter par *Voyager* en 1979, et je n'avais pas l'intention de retourner vers ce territoire avant l'achèvement de la mission *Galileo*, dont les ambitions étaient plus grandes encore.

Galileo devait lâcher une sonde dans l'atmosphère de

Jupiter, tout en passant près de deux ans à visiter tous ses principaux satellites. Il était prévu qu'elle serait lancée à partir de la navette spatiale en mai 1986 pour atteindre son objectif en décembre 1988. J'espérais donc bénéficier, vers 1990, d'une mine d'informations nouvelles sur Jupiter et ses lunes...

Hélas ! Le drame de *Challenger* a annulé ce programme. *Galileo* — aujourd'hui entreposée dans sa pièce stérile au Jet Propulsion Laboratory — doit maintenant trouver un nouveau véhicule de lancement. Elle aura de la chance si elle n'atteint Jupiter qu'avec sept ans de retard sur le calendrier prévu.

J'ai décidé de ne pas attendre.

Arthur C. Clarke
Colombo, Sri Lanka
Avril 1987

I. La montagne magique

1. LES ANNÉES GELÉES

— POUR UN HOMME DE SOIXANTE-DIX ANS, VOUS ÊTES EN pleine forme, observa le Dr Glazounov en levant les yeux de l'imprimante du Medcom. Je ne vous aurais pas donné plus de soixante-cinq ans.

— Ravi de l'entendre, Oleg. D'autant plus que j'en ai cent trois..., comme vous le savez parfaitement.

— Vous voilà reparti ! On croirait que vous n'avez jamais lu le livre du Pr Roudenko.

— Cette chère vieille Katerina ! Nous avions l'intention de faire une petite fête pour ses cent ans. J'ai été navré qu'elle n'arrive pas jusque-là. Voilà ce que c'est que de passer trop de temps sur Terre.

— Une ironie du sort, puisque c'est elle qui a imaginé ce fameux slogan : « La gravité est la cause de la vieillesse. »

Le Pr Heywood Floyd contempla d'un air pensif le panorama éternellement changeant de la belle planète, à six mille kilomètres seulement, sur laquelle il ne pourrait plus jamais marcher. L'ironie était d'autant plus grande que du

13

fait de l'accident le plus stupide de sa vie, il était encore en excellente santé alors que presque tous ses vieux amis étaient morts.

Il était de retour sur Terre depuis une semaine lorsque, en dépit de tous les avertissements et de sa propre détermination à éviter qu'une chose pareille *lui* arrive, il était tombé d'un balcon du deuxième étage. (Bien sûr, il avait fait la fête mais il l'avait mérité, il était un héros dans le nouveau monde où *Leonov* était revenu.) Des complications avaient suivi les fractures multiples, qui ne pouvaient être bien soignées qu'à l'hôpital spatial Pasteur.

C'était en 2015. Et maintenant — il n'arrivait pas à y croire réellement mais le calendrier était là, sur le mur —, on était en 2061.

L'horloge biologique d'Heywood Floyd n'avait pas seulement été ralentie par le sixième de gravité de l'hôpital ; deux fois dans sa vie elle avait été inversée. On estimait à présent — encore que ce fût un sujet de contestation pour certaines autorités — que l'hibernation faisait davantage qu'arrêter le processus de vieillissement, elle provoquait un rajeunissement. En réalité, durant le voyage aller-retour à Jupiter, Floyd avait rajeuni.

— Vous croyez donc sincèrement que je puis y aller sans risques ?

— Rien dans cet univers n'est sans risques. Tout ce que je peux dire, c'est qu'il n'y a aucune objection physiologique. Votre environnement sera à peu près le même à bord d'*Univers* qu'ici, après tout. Vous n'y trouverez peut-être pas tout à fait l'équivalent de notre science médicale... euh... superlative, mais le Mahindran connaît son affaire. Si un problème le dépasse, il pourra toujours vous remettre en hibernation et vous envoyer à nous en port dû.

C'était le verdict que Floyd avait espéré et, pourtant, son plaisir était mêlé de tristesse. Il allait s'absenter pendant des semaines de la demeure qu'il occupait depuis près d'un demi-siècle et quitter les nouveaux amis des dernières années. Et si *Univers* était un vaisseau de luxe, comparé au rudimentaire *Leonov* (planant maintenant très haut au-dessus de Farside, une des principales pièces du musée Lagrange), il y avait quand même toujours un élément de risque dans tout voyage spatial prolongé. Surtout un voyage comme cette expédition de reconnaissance dans laquelle il s'apprêtait à embarquer...

Cependant, c'était peut-être précisément cela qu'il recherchait, même à cent trois ans (ou, selon le compte gériatrique complexe de la regrettée Pr Katerina Roudenko, soixante-cinq ans encore verts et gaillards). Depuis dix ans, il ressentait une sorte d'agitation croissante, de vague insatisfaction dans une vie trop confortable et trop bien ordonnée.

En dépit de tous les projets passionnants imaginés autour du système solaire — le renouveau de Mars, l'établissement de la base Mercure, l'aménagement de Ganymède —, il ne trouvait aucun but auquel réellement s'intéresser et auquel consacrer son énergie, encore considérable. Deux siècles plus tôt, un des premiers poètes de l'ère scientifique avait résumé à la perfection ses sentiments, en parlant par la bouche d'Odysseus-Ulysse :

Une vie après l'autre
C'était encore trop court et de l'une des miennes
Il ne reste presque rien ; mais chaque heure est gagnée
Sur l'éternel silence, quelque chose de plus,
La promesse de nouveautés : et vil me semblait-il
De garder trois soleils pour moi
Et cet esprit gris brûlant du désir
De suivre le savoir comme une étoile filante,
Au-delà de l'ultime limite de la pensée humaine.

« Trois soleils », vraiment ! Ils étaient plus de quarante : Ulysse aurait été surpris. Mais les vers suivants — qu'il connaissait si bien — étaient encore plus appropriés :

Il se peut que les golfes nous engloutissent ;
Il se peut que nous abordions aux Iles Heureuses,
Pour voir le grand Achille, que nous connaissions.

Bien que nous ayons beaucoup pris, beaucoup nous
attend encore et si
Nous ne sommes plus cette force qui autrefois
Remuait ciel et terre, ce que nous sommes, nous le
sommes ;
L'humeur égale des cœurs héroïques,
Affaiblis par le temps et le sort mais forts d'une volonté
D'agir, de chercher, de trouver sans jamais céder.

« De chercher, de trouver... » Eh bien, il savait maintenant ce qu'il allait chercher et trouver, parce qu'il savait
exactement où cela serait. A moins d'un accident catastrophique, cela ne pourrait en aucune façon lui échapper.

Ce n'était pas un but auquel il avait pensé consciemment,
et aujourd'hui encore il ne savait pas pourquoi il avait pris
une telle importance Il s'était cru immunisé contre la fièvre
qui une fois de plus saisissait l'humanité — c'était la
seconde fois dans sa vie ! — mais peut-être se trompait-il. A
moins que l'invitation inattendue à faire partie de la courte
liste de personnalités invitées à bord d'*Univers* ait attisé son
imagination et éveillé un enthousiasme dont il ne se croyait
plus capable.

Il y avait une autre possibilité. Après tant d'années, il se
rappelait encore la déception qu'avait été pour le grand
public la rencontre de 1986. C'était maintenant l'occasion —
la dernière pour lui, la première pour l'humanité — de compenser, et même au-delà, toute désillusion antérieure.

Jadis, au XXe siècle, seuls les survols étaient possibles.
Cette fois, ce serait un véritable atterrissage, un événement
aussi sensationnel que les premiers pas sur la Lune d'Armstrong et d'Aldrin.

Le Pr Heywood Floyd, vétéran de la mission de
2010-2015 vers Jupiter, laissa son imagination s'envoler vers
la visiteuse spatiale en route pour son prochain rendez-vous
avec son périhélie, prenant de la vitesse seconde par seconde
alors qu'elle s'apprêtait à contourner le Soleil. Entre les
orbites de la Terre et de Vénus, la plus célèbre de toutes les

comètes rencontrerait le paquebot spatial *Univers*, encore inachevé, durant son vol inaugural.

Le lieu exact de rencontre n'était pas encore fixé, mais sa propre décision était déjà prise.

— Halley... me voici, murmura Heywood Floyd.

2. PREMIÈRE VISION

IL EST FAUX QUE L'ON DOIVE QUITTER LA TERRE POUR APPRÉ-
cier la totale splendeur des cieux. Même dans l'espace, le firmament étoilé n'est pas aussi magnifique que lorsqu'on le
contemple d'une haute montagne, par une nuit parfaitement claire, loin de toute source de lumière artificielle. Si les
étoiles paraissent plus brillantes au-delà de l'atmosphère,
l'œil ne peut réellement noter la différence ; et le spectacle
bouleversant de la moitié de la sphère céleste, d'un seul
coup d'œil, dépasse ce que peut offrir aucun observatoire.

Mais Heywood Floyd était plus que satisfait de la vision
de l'univers qui lui était réservée, surtout dans les moments
où sa cabine était du côté obscur de l'hôpital spatial qui
tournait lentement sur lui-même. Il n'y avait alors dans le
champ rectangulaire de sa vision que des étoiles, des planètes, des nébuleuses et, à l'occasion, occultant tout le reste,
l'éclat insoutenable de Lucifer, le nouveau rival du Soleil.

Dix minutes environ avant le début de sa nuit artificielle,
il éteignait toutes les lumières de la cabine, même la veil-

leuse rouge de secours, pour être dans une obscurité totale. Assez tard dans la vie, pour un ingénieur spatial, il avait découvert les plaisirs de l'astronomie, et il était maintenant capable d'identifier presque toutes les constellations, même s'il n'en apercevait qu'une petite partie.

Presque toutes les « nuits » de ce mois de mai, la comète passait à l'intérieur de l'orbite de Mars et il avait situé son emplacement sur les cartes célestes. Bien que ce fût un objet facile à découvrir avec de bonnes jumelles, Floyd avait obstinément refusé leur secours ; il avait envie de mettre à l'épreuve l'acuité de sa vue et de savoir comment ses yeux vieillissants relèveraient le défi. Deux astronomes de l'observatoire de Mauna Kea prétendaient avoir déjà observé la comète à l'œil nu, mais personne ne les croyait et des affirmations semblables venant de quelques résidents de Pasteur s'étaient heurtées à un même scepticisme.

Mais ce soir on prévoyait une magnitude de six, au moins ; il aurait peut-être de la chance. Il traça une ligne de Gamma à Epsilon, posa sur elle un triangle équilatéral imaginaire, et en regarda le sommet comme si du seul fait de sa volonté, sa vue pouvait traverser le système solaire.

Et elle était là ! Telle qu'il l'avait vue pour la première fois, soixante-seize ans plus tôt, discrète mais parfaitement reconnaissable. S'il n'avait pas su exactement où regarder, il n'aurait rien remarqué ou aurait simplement cru à une lointaine nébuleuse.

A l'œil nu, ce n'était qu'une minuscule tache de brume, parfaitement ronde ; en dépit de tous ses efforts, il fut incapable de détecter la moindre trace de queue. Mais la petite escadrille de sondes qui escortaient la comète depuis des mois avait déjà enregistré les premiers jaillissements de poussières et de gaz qui créeraient bientôt un panache étincelant traversant le champ des étoiles, s'éloignant en droite ligne de son créateur, le Soleil.

Heywood Floyd avait observé comme tout le monde la transformation du noyau froid, sombre — non, presque *noir* — à son entrée à l'intérieur du système solaire. Après soixante-dix ans de congélation, le mélange complexe d'eau, d'ammoniac liquide et autres glaçons se mettait à se dégeler et à bouillonner. Une montagne volante à peu près de la forme — et de la taille — de l'île de Manhattan se changeait en un crachat cosmique toutes les cinquante-trois heures ; tandis que la chaleur du Soleil pénétrait la croûte isolante, la vaporisation des gaz faisait ressembler la comète de Halley à une chaudière à vapeur affligée de fuites. Des jets de vapeur d'eau, mêlée à de la poussière et à un brouet de sorcière de produits chimiques organiques, fusaient par une demi-douzaine de petits cratères ; le plus grand, à peu près de la superficie d'un terrain de football, entrait régulièrement en éruption environ deux heures après l'aurore locale. Cela ressemblait tout à fait à un geyser terrestre ; on l'avait baptisé, naturellement, comme celui du parc de Yellowstone, Old Faithful.

Il avait déjà des fantasmes, il s'imaginait au bord de ce cratère, attendant que le Soleil se lève sur le sombre paysage convulsé qu'il connaissait déjà si bien par les photos de l'espace. Bien sûr, le contrat ne parlait pas d'une sortie des passagers — mais seulement de l'équipage et du personnel scientifique — quand le vaisseau se poserait sur Halley.

D'un autre côté, il n'y avait rien, même dans les petits caractères, pour l'interdire formellement.

Ils auront du mal à me retenir, pensa Heywood Floyd ; je suis sûr de pouvoir encore me débrouiller avec une combinaison spatiale. Et si je me trompe...

Il se souvint d'avoir lu qu'un visiteur du Taj Mahal avait dit une fois : « Je mourrais demain, pour un mausolée comme celui-là. »

Il se serait volontiers contenté de la comète de Halley.

3. RENTRÉE

Même sans tenir compte de cet accident embarrassant, le retour sur Terre n'avait pas été facile.

Le premier choc s'était produit peu de temps après la réanimation, quand le Dr Roudenko l'avait éveillé de son long sommeil. Walter Curnow se tenait hésitant à côté d'elle et, même dans son état de semi-conscience, Floyd comprit que quelque chose n'allait pas ; leur plaisir de le revoir était un peu trop exagéré et dissimulait mal une certaine tension. Et ils attendirent qu'il soit complètement remis pour lui annoncer que le Dr Chandra n'était plus parmi eux.

Quelque part au-delà de Mars, si imperceptiblement que les appareils de surveillance ne pouvaient préciser le moment, il avait tout simplement cessé de vivre. Son corps, lancé à la dérive dans l'espace, avait continué de suivre l'orbite de *Leonov* jusqu'à ce qu'il fût consumé par les feux du Soleil.

La cause de la mort était absolument inconnue et Max Brailovsky exprimait une opinion bien peu scientifique mais que le médecin-commandant Katerina Roudenko elle-même ne tentait pas de réfuter.

— Il ne pouvait pas vivre sans Hal.

Walter Curnow fut le seul à ajouter son avis :

— Je me demande comment Hal prendra cela. Peut-être par là-bas, est-on à l'écoute de toutes nos émissions. Tôt ou tard, il l'apprendra.

Et maintenant, Curnow avait disparu aussi, ils avaient tous disparu sauf la petite Xénia. Il ne l'avait pas vue depuis vingt ans mais sa carte arrivait ponctuellement, tous les ans à Noël. La dernière était encore épinglée au-dessus du bureau de Floyd ; elle représentait une troïka chargée de cadeaux, lancée au galop dans les neiges d'un hiver russe, surveillée par une bande de loups à l'air terriblement affamé.

Quarante-cinq ans ! Il lui semblait parfois que c'était hier que *Leonov* était retourné sur l'orbite de la Terre, sous les applaudissements de toute l'humanité. Des applaudissements curieusement discrets, cependant, respectueux mais manquant de véritable enthousiasme. La mission vers Jupiter était une trop grande réussite ; elle ouvrait une boîte de Pandore dont on ignorait encore le contenu.

Quand le monolithe noir, appelé Tycho (ou AMT-1, Anomalie magnétique n° 1), avait été sondé sur la Lune, seule une poignée d'hommes étaient au courant de son existence. Ce n'est qu'après le malheureux voyage de *Discovery* vers Jupiter que le monde avait appris que quarante millions d'années plus tôt une autre intelligence était passée par le système solaire et y avait laissé sa carte de visite. La nouvelle fut une révélation, mais pas une surprise, on s'attendait depuis des décennies à quelque chose de ce genre. Et puis cela paraissait tellement vieux, bien antérieur à l'apparition de l'Homme. Quant au mystérieux accident dont *Discovery* avait été victime autour de Jupiter, rien ne prouvait que ce fût autre chose qu'un mauvais fonctionnement à bord. Les conséquences philosophiques de la découverte de Tycho — AMT — n'étaient pas négligeables mais, en principe, l'humanité était toujours seule dans l'univers.

Maintenant, ce n'était plus vrai. A quelques minutes-lumière à peine — ce qui n'était qu'un jet de pierre dans le cosmos —, il y avait une intelligence capable de créer une étoile et, dans un insondable dessein, de détruire une planète mille fois grande comme la Terre. Pis encore, cette intelligence avait révélé sa connaissance de l'existence de l'humanité par le dernier message diffusé par *Discovery*, depuis les lunes de Jupiter, avant que la naissance flamboyante de Lucifer ne détruise cette planète :

TOUS CES MONDES SONT À VOUS SAUF EUROPE
N'ESSAYEZ PAS DE VOUS Y POSER.

La nouvelle étoile étincelante avait banni la nuit — sauf pendant les quelques mois par an qu'elle passait derrière le Soleil — apportant à l'humanité à la fois l'espoir et la peur. La peur, parce que l'inconnu, surtout quand il paraît lié à l'omnipotence, ne peut manquer de provoquer une émotion aussi primitive. L'espoir, à cause des transformations que cet événement apportait à la politique internationale.

On avait souvent dit que la seule chose susceptible de réaliser l'union de l'humanité serait un danger venu de l'espace. Nul ne savait si Lucifer était un danger mais c'était indiscutablement un défi. Et cela suffisait, les événements le prouvèrent.

Heywood Floyd avait suivi les métamorphoses géopolitiques depuis son poste d'observation de Pasteur, presque comme s'il était lui-même un extraterrestre. Au commencement, il n'avait aucune intention de rester dans l'espace une fois sa guérison achevée. Cependant, à l'irritation et à la confusion de ses médecins, sa convalescence avait traîné pendant un temps déraisonnable.

Quand il considérait le passé, maintenant qu'il avait retrouvé la tranquillité, Floyd savait exactement pourquoi ses os avaient refusé de se raccommoder. Il ne souhaitait tout simplement pas retourner sur Terre : il n'y avait rien pour lui sur l'étincelant globe bleu et blanc qui emplissait son ciel. Par moments, il comprenait que Chandra n'avait peut-être pas eu la volonté de vivre.

C'était tout à fait par hasard qu'il n'avait pas partagé avec sa première femme ce vol en Europe. Maintenant Marion était morte, son souvenir semblait faire partie d'une autre vie, appartenant à un autre, et leurs deux filles étaient d'amicales étrangères, avec des familles bien à elles.

Mais c'étaient ses propres agissements qui lui avaient fait perdre Caroline, bien qu'il n'ait guère eu de choix dans l'affaire. Elle n'avait jamais compris — et l'avait-il compris lui-même? — pourquoi il avait quitté la magnifique maison qu'ils avaient construite ensemble pour aller s'exiler pendant des années dans ces solitudes gelées loin du Soleil.

Il avait su, avant même que la mission fût à moitié terminée, que Caroline n'attendrait pas mais il avait espéré que Chris lui pardonnerait. Et cette consolation lui avait été refusée; son fils était resté trop longtemps sans père. Lorsque Floyd était revenu, Chris en avait trouvé un autre en la personne de l'homme qui le remplaçait dans la vie de Caroline. La séparation était consommée; Floyd avait cru qu'il ne s'en remettrait jamais, mais naturellement il s'en était remis... plus ou moins.

Son corps avait astucieusement conspiré avec ses désirs inconscients. Quand il revint enfin sur Terre après sa convalescence prolongée sur Pasteur, il présenta rapidement des symptômes si alarmants — dont quelque chose qui ressemblait de façon inquiétante à une nécrose osseuse — qu'il fut immédiatement renvoyé sur orbite. Et il y resta, en dehors de quelques excursions sur la Lune, parfaitement adapté à la vie de l'hôpital spatial sous un régime de zéro à un sixième de gravité.

Il n'était pas un ermite, loin de là. Avant même la fin de sa convalescence, il dictait des rapports, il apportait son témoignage à d'innombrables commissions, donnait des interviews à des représentants des médias. Il était célèbre et cela ne lui déplaisait pas du tout... tant que cela durait. Cela compensait ses blessures morales.

La première décennie — 2020 à 2030 — passa si vite,

apparemment, qu'il avait du mal à présent à se la rappeler en détail. Il y avait eu les crises, les catastrophes, les crimes, les scandales habituels, notamment le grand tremblement de terre californien, qu'il avait suivi avec une fascination horrifiée sur les écrans d'observation de la station orbitale. Pris au téléobjectif, quand les conditions étaient favorables, il avait distingué individuellement les êtres humains ; mais en les regardant de haut, comme l'œil de Dieu, il lui fut impossible de s'identifier avec ces petits points affolés fuyant les villes en flammes. Seules les caméras au sol avaient révélé toute l'étendue de l'horreur.

Durant cette décennie, même si les résultats ne devaient être apparents que plus tard, les plaques tectoniques de la politique se déplaçaient aussi inexorablement que celles de la géologie, mais dans un sens opposé, comme si le temps s'écoulait à rebours. Car, au commencement, la Terre ne portait que le seul super-continent de Pangée, qui au cours des âges s'était fendu et séparé ; de même l'espèce humaine, en innombrables tribus et nations. Maintenant tout se raccordait tandis que les anciennes divisions linguistiques et culturelles commençaient à s'estomper.

Lucifer avait accéléré le processus, sans doute, mais cela avait commencé bien plus tôt, quand l'avènement du jet avait déclenché l'explosion du tourisme international. Presque au même moment — ce n'était pas une coïncidence, naturellement — les satellites et les fibres optiques révolutionnaient les communications. Avec l'abolition historique des surtaxes longue distance, le 31 décembre 2000, tous les coups de téléphone étaient devenus des appels locaux et la race humaine avait accueilli le nouveau millénaire en bavardant comme une gigantesque famille.

Comme la plupart des familles, elle ne vivait pas toujours en bonne entente, mais ses querelles ne menaçaient plus la planète entière. La seconde — et dernière guerre nucléaire — n'utilisa pas plus de bombes atomiques que la première ; précisément deux. Et si le kilotonnage fut plus important, les pertes furent infiniment moindres, car toutes deux furent lancées contre des installations pétrolières très peu peuplées. À ce moment-là les Trois Grands, les USA, l'URSS et la Chine, agirent avec une rapidité et une sagesse louables, fermant hermétiquement la zone de guerre jusqu'à ce que les combattants survivants aient retrouvé la raison.

Durant les années 2020 à 2030, une guerre entre les grandes puissances était aussi inconcevable que cent plus tôt entre les États-Unis et le Canada. Ce n'était pas dû à une amélioration de la nature humaine, ni à aucun autre facteur que la prédominance de l'instinct de vie sur l'instinct de mort. Une grande partie du mécanisme de la paix n'était même pas consciemment organisée ; quand les hommes politiques se penchèrent sur ce problème, ils se rendirent compte alors que tout était en place et fonctionnait bien...

Aucun homme d'État, aucun militant d'aucune confession n'avait eu l'idée du mouvement « Otage de paix » ; le nom même fut imaginé bien après que l'on eut remarqué qu'à n'importe quel moment, il y avait toujours cent mille touristes russes aux États-Unis, et un demi-million d'Américains en Union soviétique, se livrant pour la plupart à leur passe-temps favori, se plaindre de l'intendance. Et surtout que ces deux groupes contenaient un nombre non négligeable d'individus de quelque importance, représentants de la fortune, des privilèges ou du pouvoir politique.

Il n'était de toute façon déjà plus possible, même si on l'avait voulu, de préparer une guerre sur une grande échelle. L'Age de la Transparence était né dans les années 1990, quand des médias entreprenants s'étaient mis à lancer des satellites photographiques sur les mêmes orbites que les militaires utilisaient depuis trente ans. Le Pentagone et le Kremlin étaient furieux mais ils n'étaient pas de taille à résister à Reuters, à l'Associated Press et aux caméras de l'Orbital News Service qui ne dormaient jamais et fonctionnaient vingt-quatre heures sur vingt-quatre.

En 2060, même si le monde n'avait pas totalement désarmé, il était pacifié et les cinquante armes nucléaires conservées étaient toutes sous contrôle international. L'élection d'un monarque populaire, Édouard VIII, en tant que premier président planétaire n'avait pratiquement pas soulevé d'opposition : une douzaine d'États à peine étaient entrés en dissidence. Par ordre de superficie et d'importance, ils allaient de la Suisse obstinément neutre (dont les restaurants et les hôtels accueillaient néanmoins à bras ouverts les nouveaux fonctionnaires) aux Malouines toujours aussi farouchement indépendantes qui résistaient à toutes les tentatives des Britanniques et des Argentins exaspérés, de se les rejeter les uns aux autres.

Le démantèlement de la vaste industrie entièrement parasitaire de l'armement avait donné à l'économie mondiale un essor sans précédent — peut-être pas toujours parfaitement sain mais les matières premières vitales et les cerveaux de l'ingénierie n'étaient plus voués à la destruction. Ils pouvaient être utilisés au contraire à réparer les ravages et à rattraper la négligence des siècles, à reconstruire le monde.

Et à en construire de nouveaux. L'humanité découvrait «l'équivalent moral de la guerre», un défi capable d'absorber le surplus énergétique de la race... pour autant de millénaires dans l'avenir que l'on oserait rêver.

4. MAGNAT

A SA NAISSANCE, WILLIAM TSUNG FUT DÉSIGNÉ COMME « LE bébé le plus cher du monde » ; il ne conserva ce titre que pendant deux ans, après quoi il lui fut volé par sa sœur. Elle le détenait encore et maintenant que les Lois familiales avaient été abrogées, elle le conserverait toujours.

Leur père, le légendaire Sir Lawrence, était né au temps où la Chine avait remis en vigueur la règle stricte : « Une famille, un enfant. » Sa génération avait fourni aux psychologues et aux sociologues scientifiques matière à d'interminables études. N'avoir ni frère ni sœur et, dans bien des cas, ni oncle ni tante, c'était un fait unique dans l'histoire humaine. Le mérite en revenait à la faculté d'adaptation de l'espèce ou au système familial chinois, c'était une question qui ne serait probablement jamais réglée : le fait demeurait que les enfants de cette curieuse époque étaient a priori remarquablement exempts de problèmes affectifs — mais était-ce si évident ? Sir Lawrence avait tout fait, spectaculairement, pour compenser l'isolement de son enfance.

Quand son second enfant naquit en 2022, le permis était devenu obligatoire. On pouvait avoir autant d'enfants que l'on voulait à condition d'acquitter le tarif prévu. (Les communistes de la Vieille Garde n'étaient pas les seuls à trouver ce système tout à fait aberrant mais ils étaient battus aux voix par leurs collègues pragmatiques de la nouvelle République démocratique populaire.)

Le premier et le deuxième étaient gratuits. Le troisième coûtait un million de sols. Le quatrième deux millions. Le cinquième quatre millions et ainsi de suite. Le fait qu'il n'existât, théoriquement, aucun capitaliste dans la République populaire était joyeusement ignoré.

Le jeune M. Tsung (cela se passait, naturellement, des années avant que le roi Édouard le fasse grand commandeur de l'ordre de l'Empire britannique) ne révéla jamais s'il avait un objectif en vue ; il n'était encore qu'un millionnaire ordinaire quand son cinquième enfant naquit. Mais il n'avait alors que quarante ans et, quand il réalisa que l'achat de Hong Kong n'avait pas écorné son capital autant qu'il le craignait, il s'aperçut qu'il avait sous la main une réserve considérable.

Ainsi le voulait la légende... mais comme bien d'autres histoires sur Sir Lawrence, il était difficile de démêler le vrai du faux. Il n'y avait certainement rien de fondé dans la rumeur prétendant qu'il avait fait fortune grâce à une édition pirate, de la taille d'un carton à chaussures, de la bibliothèque du Congrès américaine. Tout le trafic autour du Module de mémoire moléculaire était une opération d'outre-Terre, rendue possible par le refus des États-Unis de signer le traité Lunaire.

Si Sir Lawrence n'était pas multitrillionnaire, le consortium d'entreprises qu'il avait créées faisait de lui la principale puissance financière de la Terre, ce qui n'était pas une mince réussite pour le fils d'un humble colporteur de vidéo-cassettes dans ce que l'on appelait encore les Nouveaux Territoires. Il ne prêta probablement aucune attention aux huit millions du sixième enfant ni même aux trente-deux du huitième. Les soixante-quatre qu'il dut avancer pour le neuvième lui valurent une publicité mondiale et après le dixième, les paris engagés sur ses projets d'avenir dépassèrent fort probablement les deux cent cinquante-six millions que lui auraient coûté l'enfant suivant. Cependant, à ce moment Lady Jasmine, qui cachait un tempérament de fer derrière son comportement tranquille, estima que la dynastie Tsung était suffisamment établie.

Ce fut tout à fait par hasard (si une telle chose existe) que Sir Lawrence en vint à s'intéresser aux affaires spatiales. Il possédait, bien entendu, de nombreuses et importantes compagnies maritimes et aéronautiques, mais elles étaient dirigées par ses cinq fils et leurs associés. La véritable passion de Sir Lawrence allait aux communications, à la presse écrite (les rares journaux qui restaient), aux livres, aux magazines (papier et électroniques) et, par-dessus tout, aux réseaux planétaires de télévision.

Il acheta alors l'ancien et magnifique Peninsular Hotel qui, aux yeux d'un petit Chinois pauvre, avait jadis été le symbole même de la richesse et du pouvoir ; il en fit sa résidence et son siège social. Il l'entoura d'un admirable parc, tout simplement en reléguant sous terre les énormes centres commerciaux (la Laser Excavation Corporation nouvellement fondée fit fortune dans l'affaire et donna l'exemple à de nombreuses autres grandes villes.)

Un jour, alors qu'il admirait le panorama incomparable de la cité, de l'autre côté de la rade, il décida qu'une nouvelle amélioration s'imposait. La vue depuis les étages inférieurs du Peninsular était bouchée depuis des dizaines d'années par un grand bâtiment ressemblant à une balle de golf écrasée. Sir Lawrence estima qu'il devait disparaître.

Le directeur du Planétarium de Hong Kong — considéré comme un des cinq meilleurs du monde — ne partageait pas son avis et, bientôt, Sir Lawrence fut enchanté de découvrir quelqu'un qu'il ne pouvait acheter à aucun prix.

Les deux hommes devinrent de grands amis mais quand le Pr Hessenstein organisa une présentation spéciale pour le soixantième anniversaire de Sir Lawrence, il ne se doutait guère qu'il allait contribuer à changer l'histoire du système solaire.

5. HORS DE LA GLACE

PLUS DE CENT ANS APRÈS QUE ZEISS EUT FABRIQUÉ LE PRE-
mier prototype à Iéna en 1924, il y avait encore quelques
projecteurs planétaires optiques en utilisation, spectaculairement dirigés vers le ciel. Mais Hong Kong avait mis à la
retraite, depuis des décennies, cet instrument de troisième
génération au profit d'un système électronique beaucoup
plus performant. L'immense coupole était constituée pour
l'essentiel d'un écran de télévision géant, composé de milliers de panneaux, sur lesquels n'importe quelle image
pouvait être transmise.

Le programme débuta — inévitablement — par un hommage à l'inventeur inconnu de la fusée, quelque part en
Chine au cours du XIIIᵉ siècle. Les cinq premières minutes
présentèrent un résumé historique accéléré, qui ne rendait
sans doute pas tout l'honneur dû aux pionniers russes, alle-
mands et américains, afin de mieux se concentrer sur la carrière du Pr Hsue-Shen Tsien. Mais on pouvait pardonner à
ses compatriotes à ce moment et en ce lieu, de lui donner

une importance aussi grande dans l'histoire du développement de la fusée qu'à Goddard, von Braun ou Korolyev. Ils avaient indiscutablement de bonnes raisons de s'indigner de son arrestation aux États-Unis, à la suite d'un coup monté, alors qu'après avoir aidé à créer le célèbre Jet Propulsion Laboratory, et été nommé premier professeur à la chaire Goddard de Cal'Tech, il avait décidé de retourner dans son pays natal.

Le lancement du premier satellite chinois par la fusée *Longue Marche I* en 1970, fut à peine mentionné, peut-être parce qu'à ce moment-là les Américains avaient déjà marché sur la Lune. Mais le XXᵉ siècle fut à vrai dire expédié en quelques minutes, pour arriver plus vite à 2007 et à la construction secrète du vaisseau spatial *Tsien*... sous les yeux du monde entier.

Le narrateur n'insista pas outre mesure sur la consternation des autres puissances spatiales quand une station présumée chinoise jaillit tout à coup de son orbite et fonça vers Jupiter pour devancer la mission russo-américaine du vaisseau *Cosmonaute Alexeï Leonov*. L'histoire était assez spectaculaire — et tragique — pour se passer de fioritures.

Malheureusement, il restait très peu de documents visuels authentiques pour l'illustrer ; le programme devait surtout compter sur les effets spéciaux et une reconstitution intelligente d'après des études photographiques à longue portée effectuées par la suite. Durant son bref séjour à la surface glacée d'Europe, l'équipe de *Tsien* avait été bien trop occupée pour tourner des documentaires télévisés ou même pour installer une caméra automatique. Néanmoins, les paroles prononcées à l'époque suffisaient à évoquer le drame du premier atterrissage sur les lunes de Jupiter. Le commentaire diffusé du *Leonov* par Heywood Floyd plantait admirablement le décor et il ne manquait pas de photos d'Europe pour l'illustrer.

« En ce moment précis je regarde Europe à l'aide du plus puissant des télescopes à bord, et le satellite m'apparaît dix fois plus grand que la Lune telle que vous pouvez la voir de la Terre à l'œil nu. Et c'est vraiment un spectacle étrange.

» La surface est d'un rose uni semé de rares taches brunes. Elle est couverte d'un réseau complexe de lignes très minces qui tournent et se croisent dans tous les sens. En fait, on dirait tout à fait une photo tirée d'un manuel d'anatomie, montrant la structure des veines et des artères.

» Quelques-unes de ces lignes ont des centaines ou même des milliers de kilomètres et ressemblent assez aux canaux imaginaires que Percival Lowell et d'autres astronomes du début du XXe siècle avaient cru voir sur Mars.

» Mais les canaux d'Europe ne sont pas une illusion, même si, bien sûr, ils ne sont pas artificiels. De plus, ils contiennent effectivement de l'eau, ou du moins de la glace. Car le satellite est presque entièrement recouvert par un océan profond en moyenne de cinquante kilomètres.

» Europe est tellement loin du Soleil que sa température de surface est extrêmement basse : environ cent cinquante degrés au-dessous de zéro. On s'attendrait donc à ce que cet océan soit entièrement pris par les glaces.

» De façon surprenante, ce n'est pas le cas, parce qu'une grande quantité de chaleur est engendrée à l'intérieur d'Europe par les marées gravifiques, celles qui alimentent les grands volcans d'Io, la lune voisine.

» De sorte que la glace est sans cesse en train de fondre, de se briser et de geler à nouveau, formant des failles et des crevasses comme les banquises de nos propres régions polaires. C'est ce réseau complexe de failles que j'ai actuellement sous les yeux : la plupart sont noires, très anciennes, elles ont peut-être des millions d'années. Mais certaines sont parfaitement blanches, ce sont les nouvelles failles qui viennent de s'ouvrir et dont la croûte n'a que quelques centimètres d'épaisseur.

» *Tsien* s'est posé juste à côté d'une de ces failles récentes, une ligne de quinze cents kilomètres qui a été baptisée le Grand Canal. On suppose que les Chinois veulent pomper de l'eau dans leurs réservoirs pour être en mesure d'explorer le système jovien et de retourner ensuite vers la Terre. Ce ne

34

sera peut-être pas facile, mais ils ont certainement choisi leur point d'atterrissage avec le plus grand soin, et ils doivent savoir ce qu'ils font.

» La raison pour laquelle ils ont pris un tel risque est maintenant évidente, ainsi que celle pour laquelle ils revendiquent Europe : une base de ravitaillement. Europe peut devenir la clef du système solaire tout entier... »

Mais cela ne s'était pas passé ainsi, pensa Sir Lawrence, confortablement installé dans son luxueux fauteuil, sous le disque strié et marbré emplissant son ciel artificiel. Les océans d'Europe étaient encore inaccessibles à l'Humanité, pour des raisons qui demeuraient mystérieuses. Et non seulement inaccessibles mais invisibles ; depuis que Jupiter était devenu un soleil, ses deux satellites intérieurs avaient disparu sous les nuages de vapeur fusant de leur centre. Il regardait Europe telle qu'elle était en 2010, et non telle qu'elle était à présent.

Il n'était encore qu'un enfant, à l'époque mais il se rappelait la fierté qu'il avait éprouvée en sachant que ses compatriotes — même s'il n'approuvait pas leur politique — étaient sur le point d'effectuer le premier atterrissage sur un monde vierge.

Il n'y avait pas eu de caméras, bien sûr, pour enregistrer cet atterrissage mais la reconstitution était superbe. On pouvait réellement croire que c'était le vaisseau spatial condamné qui tombait en silence du ciel d'un noir de jais vers le paysage glacé d'Europe et se posait sur le ruban décoloré d'eau récemment gelée baptisé Grand Canal.

Tout le monde savait ce qui s'était ensuite passé : sagement sans doute, on n'avait pas tenté de le reproduire visuellement. L'image d'Europe s'était estompée et avait été remplacée par une photo aussi familière pour les Chinois que celle de Youri Gagarine pour les Russes. Celle de Rupert Chang le jour de sa remise de diplôme, en 1989 —, un jeune étudiant sérieux, semblable à un million d'autres, totalement ignorant du rendez-vous qu'il aurait avec l'Histoire vingt ans plus tard.

Brièvement, sur un fond de musique douce, le commentateur résuma les principales étapes de la carrière du Pr Chang, jusqu'à son affectation comme officier scientifique à bord de *Tsien*. Telles des coupes dans le temps, les photos vieillissaient, jusqu'à la dernière, prise immédiatement avant la mission.

Sir Lawrence fut heureux de l'obscurité du Planétarium ; ses amis et ses ennemis auraient été surpris de lui voir les larmes aux yeux tandis qu'il écoutait le message que le Pr Chang diffusait vers *Leonov*, sans même savoir qu'il serait reçu :

« ... sais que vous êtes à bord de *Leonov*... n'ai peut-être pas beaucoup de temps... dirige l'antenne de ma combinaison où je crois... »

Le signal s'évanouit pendant quelques secondes angoissantes, puis revint, beaucoup plus clair, mais guère plus puissant.

« ... relayez cette information à la Terre. *Tsien* a été détruit il y a trois heures. Suis le seul survivant. Je n'ai que la radio de ma combinaison — ne sais pas si elle porte assez loin, mais c'est la seule chance. Faites très attention à ce qui suit. LA VIE EXISTE SUR EUROPE. Je répète : LA VIE EXISTE SUR EUROPE... »

Le signal disparut de nouveau.

« ... peu après minuit, heure locale. Les pompes avaient un débit régulier et les réservoirs étaient presque à moitié pleins. Le Dr Lee et moi sommes sortis vérifier l'isolation des canalisations. *Tsien* se trouve — se trouvait — à environ trente mètres du bord du Grand Canal. Les tuyaux partaient de la coque et plongeaient directement dans la glace. Très mince. Dangereux d'y marcher. Les couches chaudes... »

Encore un long silence.

« ... sans problèmes. Un éclair de cinq kilowatts a frappé le vaisseau. Comme un arbre de Noël. Magnifique. La lumière a traversé la couche de glace. Le Dr Lee l'a vue en premier, une énorme masse sombre qui montait des profondeurs. D'abord nous avons cru que c'était un banc de poissons — trop grand pour un organisme unique — puis il a commencé à traverser la banquise...

»... comme d'immenses filaments d'algues humides qui rampaient sur le sol. Lee est retourné très vite au vaisseau prendre une caméra, je suis resté pour observer et les tenir au courant par radio. La chose avançait si lentement que j'aurais facilement pu la distancer. J'étais beaucoup plus excité qu'alarmé. Je croyais savoir le genre de créature que c'était — j'ai vu des photos des forêts de varech au large de la Californie — mais je me trompais lourdement.

»... Je voyais qu'elle avait des problèmes. Il était impossible qu'elle survive à cent cinquante degrés au-dessous de sa température habituelle. Elle gelait à mesure qu'elle avançait — il en tombait des morceaux, comme du verre brisé — néanmoins elle continuait à se diriger vers le vaisseau, de plus en plus lentement, comme une vague noire.

»J'étais encore si surpris que je ne pensais pas clairement, je n'imaginais pas ce qu'elle essayait de faire...

»... montant le long du vaisseau, bâtissant à mesure une sorte de tunnel de glace. Peut-être cela la protégeait-elle du froid — comme les termites se protègent du soleil avec leurs petits tunnels de boue.

»... des tonnes de glace sur le vaisseau. Les antennes radio se sont brisées en premier. Puis j'ai vu plier les béquilles d'atterrissage — le tout au ralenti, comme en rêve.

»Ce n'est que lorsque le vaisseau s'est mis à osciller que j'ai compris ce que la chose essayait de faire. Nous aurions pu en réchapper... si seulement nous avions éteint ces lumières.

»C'est peut-être un phototrope, dont le cycle biologique est déclenché par le soleil filtrant à travers la glace. Cette chose a pu être attirée comme un papillon par une bougie. Nos projecteurs devaient être plus puissants que tout ce qui a jamais existé à la surface d'Europe...

»Et puis le vaisseau s'est renversé. J'ai vu la coque se fendre, un nuage de flocons se former quand l'humidité de l'air s'est condensée. Toutes les lumières se sont éteintes, sauf une qui se balançait au bout d'un câble à deux mètres du sol.

» Je ne sais pas ce qui s'est passé immédiatement après. Ce dont je me souviens, c'est de me retrouver debout sous la lumière, à côté de l'épave, entouré par une légère couche de neige fraîche. Je voyais très bien les traces de mes pas. J'avais dû courir ; il ne s'était peut-être écoulé qu'une minute ou deux...

» La plante... je croyais encore que c'était une plante... était immobile. Je me demandais si le choc l'avait endommagée. De grands morceaux, aussi épais que le bras d'un homme, s'étaient détachés comme des branches brisées.

» Et puis le tronc principal s'est remis en mouvement. Il s'est écarté de la coque et s'est remis à ramper vers moi. C'est à ce moment que j'ai su que cette chose était sensible à la lumière. Je me tenais juste au-dessous du projecteur de mille watts qui avait cessé de se balancer.

» Imaginez un chêne, ou mieux un banyan avec son tronc et ses racines multiples, aplati par la pesanteur et essayant de ramper sur le sol. C'est arrivé à cinq mètres de la lumière, et cela s'est répandu jusqu'à former autour de moi un cercle parfait. C'était probablement la limite de sa tolérance — le point où son phototropisme se changeait en répulsion. Après quoi il ne se passa plus rien pendant plusieurs minutes. Je me demandais si c'était mort — finalement solidifié par le gel.

» Puis je vis qu'il se formait de gros bourgeons sur la plupart des branches. C'était comme de voir des fleurs s'épanouir au ralenti. En fait, j'ai pensé que c'étaient des fleurs, chacune aussi grosse que la tête d'un homme.

» Des membranes délicates et merveilleusement colorées commencèrent à se déplier. Même à un moment pareil j'ai eu l'impression qu'aucun être — aucune *chose* — n'avait encore pu voir ces couleurs. Elles n'avaient pas accédé à l'existence avant que nous apportions nos lumières — nos lumières fatales — sur ce monde.

» Des tiges et des vrilles qui remuaient faiblement... Je m'avançai jusqu'au mur vivant qui m'entourait, pour voir plus précisément ce qui se passait. Ni à ce moment ni à un autre je n'ai eu la moindre crainte de cette créature. J'étais sûr qu'elle n'était pas malveillante — si même elle était consciente.

» Il y avait des quantités de ces fleurs, très grandes, à divers stades de l'épanouissement. Maintenant elles me faisaient penser à des papillons émergeant à peine de leur chrysalide, les ailes froissées, encore faibles... Je me rapprochais de plus en plus de la vérité.

» Mais elles gelaient, elles mouraient aussitôt écloses et elles tombaient, l'une après l'autre, du bourgeon parental. Elles sautillaient alors quelques instants, comme des poissons échoués sur le rivage, et je compris enfin ce qu'elles étaient vraiment. Ces membranes n'étaient pas des pétales... mais des nageoires, ou leur équivalent. Je voyais le stade larvaire, aquatique, de la créature. Elle passe probablement une grande part de son existence enracinée au fond de l'océan, puis elle envoie ses rejetons mobiles à la recherche de nouveaux territoires. Tout à fait comme les coraux des océans terrestres.

» Je m'agenouillai pour voir de plus près une des petites créatures. Les couleurs si belles s'effaçaient, se mêlaient dans un brun terne. Quelques pétales-nageoires s'étaient cassés, transformés en éclats fragiles par le gel. Mais elle remuait encore, faiblement, et elle essaya de m'éviter quand je m'approchai. Je me demandai comment elle percevait ma présence.

» Puis je remarquai que les *étamines* — c'est ainsi que je les appelai — avaient toutes des petits points bleu vif à leur extrémité. On aurait dit de minuscules saphirs, ou les ocelles bleues qui parsèment le manteau des pétoncles, sensibles à la lumière, mais incapables de former des images véritables. Sous mon regard le bleu éclatant se ternit, les saphirs se changèrent en cailloux ordinaires, ternes...

» Docteur Floyd, ou quiconque est à l'écoute, je n'ai plus beaucoup de temps. Jupiter va bientôt masquer mon émission. Mais j'ai presque terminé.

» Je savais désormais ce que j'avais à faire. Le câble du

projecteur pendait presque jusqu'au sol. J'ai tiré dessus deux ou trois fois, et la lumière s'est éteinte dans une gerbe d'étincelles.

» Je me demandais s'il n'était pas trop tard. Pendant quelques minutes, il ne se passa rien. Je marchai jusqu'à la muraille de branches enlacées qui m'entouraient et lui donnai des coups de pied.

» Lentement, la créature se mit à défaire ses nœuds et à se retirer vers le canal. La lumière était bonne, j'y voyais parfaitement. Ganymède et Callisto étaient au firmament, Jupiter avait l'aspect d'un croissant gigantesque, très mince, et il y avait une grande aurore boréale sur la face nocturne, à l'extrémité jovienne du champ magnétique d'Io. Je n'avais pas besoin de la lampe de mon casque.

» Je suivis la créature jusqu'au bord de l'eau, la stimulant de mes coups de pied quand elle ralentissait, sentant les fragments gelés s'écraser sous mes bottes... En approchant du canal, elle parut reprendre ses forces et son énergie, comme si elle savait qu'elle allait retrouver son habitat naturel. Je me demandais si elle survivrait, si elle refleurirait.

» Elle disparut sous la glace, abandonnant quelques larves mortes sur la surface hostile. Des bulles montèrent à la surface de l'eau jusqu'à ce qu'une croûte de glace se forme pour la protéger du vide. Ensuite je retournai jusqu'au vaisseau pour voir s'il restait quelque chose à sauver — je n'ai pas envie d'en parler.

» Docteur, je n'ai que deux requêtes à faire. Quand les taxonomistes classifieront cette créature, j'espère qu'ils lui donneront mon nom.

» Enfin, lorsqu'un vaisseau viendra de la Terre, demandez-leur de rapporter nos restes en Chine.

» Jupiter va nous séparer d'ici quelques minutes. J'aimerais savoir si quelqu'un reçoit mon message. De toute façon je le répéterai dès que nous serons de nouveau en vue... si mes réserves d'oxygène et d'énergie tiennent jusque-là.

» Ici le professeur Chang sur Europe signalant la destruction du vaisseau spatial *Tsien*. Nous nous sommes posés près du Grand Canal et nous avons installé nos pompes au bord de la glace... »

L'émission se tut brusquement, revint pendant une seconde et disparut complètement sous les parasites. Il ne devait plus jamais y avoir d'autre message du Pr Chang mais il avait déjà entraîné vers l'espace l'ambition de Lawrence Tsung.

6. L'AMÉNAGEMENT DE GANYMÈDE

ROLF VAN DER BERG FUT L'HOMME QU'IL FALLAIT, AU MOment opportun ; aucune autre combinaison n'aurait marché. C'est d'ailleurs ainsi que presque toute l'histoire se fait, naturellement.

Il était l'homme qu'il fallait, en sa qualité de réfugié afrikaner de la deuxième génération et de géologue ; les deux facteurs étaient également importants. Il se trouvait là où il le fallait, c'est-à-dire sur la plus grande des lunes jupitériennes, la troisième dans l'ordre des distances à Jupiter : Io, Europe, Ganymède et Callisto.

Le moment n'était pas si critique car l'information stationnait depuis près de dix ans dans les banques de mémoire mais Van der Berg ne la découvrit pas avant 2057 ; même alors, il lui fallut encore un an pour se convaincre qu'il n'était pas fou et ce ne fut qu'en 2059 qu'il demanda discrètement les archives originales, pour que personne ne puisse reproduire sa découverte. A ce moment-là seulement, il put sans risque consacrer toute son attention sur le problème principal : que faire maintenant ?

Tout avait commencé, comme c'est souvent le cas, par une observation apparemment banale dans un domaine qui ne concernait même pas directement Van der Berg. Sa mission, comme membre de la Planetary Engineering Task Force, était d'inventorier et de cataloguer les ressources naturelles de Ganymède ; il n'avait pas à s'occuper du satellite interdit voisin.

Mais Europe était une énigme que personne — moins encore sa voisine immédiate — ne pouvait ignorer ou négliger longtemps. Tous les sept jours, elle passait entre Ganymède et le brillant minisoleil qu'était devenu Jupiter, provoquant des éclipses qui duraient parfois jusqu'à douze minutes. Quand elle passait au plus près, elle paraissait légèrement plus petite que la Lune vue de la Terre, mais rapetissait au quart de cette taille quand elle était de l'autre côté de son orbite.

Les éclipses étaient souvent spectaculaires. Juste avant de glisser entre Ganymède et Lucifer, Europe se transformait en un disque noir menaçant bordé d'une frange de feu rouge carmin, alors que la lumière du nouveau soleil était réfractée à travers l'atmosphère qu'il avait contribué à créer.

En moins d'une vie humaine, Europe s'était métamorphosée. La couche de glace de son hémisphère faisant perpétuellement face à Lucifer avait fondu pour former le deuxième océan du système solaire. Pendant dix ans, il avait bouillonné et écumé dans le vide qui le surplombait, jusqu'à ce qu'un équilibre fût atteint. Maintenant, Europe possédait une couche atmosphérique mince mais respirable — pas pour les êtres humains, néanmoins — de vapeur d'eau, d'hydrogène sulfuré, de bioxyde de carbone et de soufre, d'azote et de divers gaz rares. Bien que la partie du satellite appelée à tort nocturne fût gelée en permanence, une superficie de la grandeur de l'Afrique possédait maintenant un climat tempéré, de l'eau liquide et quelques îles dispersées.

Telle était presque la totalité des observations qu'avaient pu transmettre les télescopes placés en orbite autour de la

Terre. Lorsque la première grande expédition fut lancée vers les lunes galiléennes, en 2028, Europe s'était déjà voilée d'une couverture de nuages permanente. Des sondages radar prudents révélèrent peu de chose en dehors d'un océan lisse sur une face et de glace également lisse sur l'autre ; Europe conservait sa réputation de territoire le plus plat du système solaire.

Dix ans plus tard, ce n'était plus vrai ; quelque chose de fantastique était arrivé à Europe. Une montagne solitaire, presque aussi élevée que l'Everest, avait à présent surgi de la glace dans la zone crépusculaire. On présumait qu'une quelconque activité volcanique — comme celle qui se produisait sans cesse chez sa voisine Io — avait projeté vers le ciel cette masse de matière. L'événement avait pu être déclenché par le flot de chaleur accrue provenant de Lucifer.

Mais cette explication évidente posait des problèmes. Le mont Zeus formait une pyramide irrégulière au lieu du cône volcanique habituel et les balayages au radar n'indiquaient aucune des coulées de lave caractéristiques. Quelques médiocres photographies obtenues grâce à des télescopes depuis Ganymède, pendant une dispersion momentanée des nuages, donnaient à penser qu'il était en glace, comme le paysage gelé qui l'entourait. Quelle qu'en fût l'explication, la subite apparition du mont Zeus avait apparemment traumatisé le monde qu'il dominait, car le dallage irrégulier formé par les glaces flottantes de la face nocturne avait complètement changé.

Un savant non conformiste avait avancé l'hypothèse que le mont Zeus serait un « iceberg cosmique », un fragment de comète tombé de l'espace sur Europe ; la surface tourmentée de Callisto prouvait amplement que de tels bombardements s'étaient déjà produits dans un lointain passé. Cette hypothèse provoquait l'inquiétude des « colons » de Ganymède, qui avaient déjà bien assez de problèmes. Ils furent très soulagés quand Van der Berg réfuta catégoriquement l'hypothèse ; une masse de glace de cette importance se serait brisée à l'impact, et sinon, la gravité d'Europe, malgré sa modestie, aurait vite provoqué son effondrement. Les mesures prises au radar révélaient que le mont Zeus s'enfonçait régulièrement et que sa forme générale ne changeait pas du tout. Ce n'était pas de la glace.

Bien sûr, le problème aurait pu être résolu par l'envoi d'une sonde à travers les nuages d'Europe. Mais la curiosité sur ce qu'il pouvait y avoir sous ce plafond perpétuellement bas était considérablement freinée par le souvenir du dernier message transmis par le vaisseau spatial *Discovery* juste avant sa destruction.

TOUT CES MONDES SONT À VOUS — SAUF EUROPE
N'ESSAYEZ PAS DE VOUS Y POSER.

L'interprétation de ce message avait donné lieu à d'interminables discussions. Est-ce que les mots « vous y poser » s'appliquaient aux robots-sondes ou uniquement aux vaisseaux habités ? Et aux survols, habités ou non ? Ou aux ballons planant dans la haute atmosphère ?

Les savants auraient bien aimé le savoir mais le grand public était inquiet. Une puissance capable de faire exploser la plus énorme planète du système solaire ne devait pas être traitée à la légère. Et il faudrait des siècles pour explorer et exploiter Io, Ganymède, Callisto et les dizaines de satellites mineurs. Europe pouvait attendre.

Plus d'une fois, par conséquent, Van der Berg avait été prié de ne pas perdre un temps précieux en recherches sans importance pratique, alors qu'il y avait tant à faire sur Ganymède. (« Où pourrons-nous trouver du carbone, du phosphore, des nitrates pour les fermes hydroponiques ? L'escarpement Barnard est-il stable ? Y a-t-il un risque d'autres glissements de terrain en Phrygie ? » et ainsi de suite...) Mais il avait hérité de ses ancêtres Boers une réputation bien méritée d'obstination ; même en travaillant à ses nombreux projets, il continuait de regarder Europe par-dessus son épaule.

Et un jour, pendant quelques heures, un violent coup de vent dégagea le ciel au-dessus du mont Zeus.

7. TRANSIT

I TOO TAKE LEAVE OF ALL I EVER HAD...

« Je prends aussi congé de tout ce j'ai eu. » De quelles couches profondément enfouies de sa mémoire ce vers était-il remonté ? Heywood Floyd ferma les yeux et s'efforça de reconsidérer le passé. C'était certainement extrait d'un poème, mais il n'avait guère lu de vers depuis qu'il avait quitté l'université. Et même alors bien peu, sauf durant un bref séminaire de littérature anglaise.

Sans autre référence, il faudrait à l'ordinateur de la station pas mal de temps — jusqu'à dix minutes, peut-être — pour retrouver le vers dans tout l'ensemble de la littérature anglaise. Et ce serait tricher (sans parler du coût de l'opération), alors Floyd préférait relever le défi intellectuel.

Un poème de guerre, naturellement mais... quelle guerre ? Il y en avait eu tant, au XXᵉ siècle...

Il fouillait encore dans les brumes du souvenir quand ses invités arrivèrent, marchant avec cette lenteur gracieuse et souple particulière aux vieux habitués du sixième de G. La

46

société de Pasteur était fortement influencee par la «stratifi-
cation centrifuge» ; certaines personnes ne quittaient jamais
le G zéro du Centre, alors que celles qui espéraient retourner sur la Terre préféraient s'installer sur la périphérie du
gigantesque disque en lente révolution où la gravité était
presque normale.

George et Jerry étaient maintenant les plus proches et les
plus vieux amis de Floyd, ce qui était étonnant car ils
avaient très peu de points communs évidents. En songeant à
sa propre vie sentimentale quelque peu bouleversée — ses
deux mariages, ses trois enfants —, il lui arrivait souvent
d'envier la longue stabilité de leurs rapports, pas du tout
perturbée, apparemment, par les «neveux» de la Terre ou
de la Lune qui leur rendaient visite de temps en temps.

— Vous n'avez jamais songer à divorcer? leur avait-il
demandé un jour, pour les taquiner.

Comme d'habitude, George — dont le talent acrobatique
et néanmoins profondément sérieux de chef d'orchestre était
en grande partie responsable du renouveau de la musique
symphonique — ne resta pas à court de réponse :

— Au divorce, jamais... Au meurtre, souvent.

— Et naturellement, il ne s'en tirerait jamais, riposta
Jerry. Sébastien vendrait la mèche.

Sébastien était un magnifique perroquet que le couple
avait pu garder avec lui après une longue bataille avec les
autorités de l'hôpital. Il savait non seulement parler mais
encore chanter les premières mesures du *Concerto pour violon* de Sibelius qui avait permis à Jerry — considérablement
aidé par Antonio Stradivarius — de bâtir sa réputation un
demi-siècle plus tôt.

Le moment était maintenant venu de dire adieu à George,
à Jerry et à Sébastien, peut-être un au-revoir de quelques
semaines seulement, peut-être un adieu définitif. Floyd
avait déjà pris congé de toutes ses autres relations au cours
d'une suite de réceptions qui avaient mis à mal la réserve de
vin de la station et ne voyait plus rien qui lui restât à faire.

Son comsec Archie, d'un modèle ancien mais encore en
parfait état, avait été programmé pour s'occuper de tous les

messages qui arriveraient, soit en répondant lui-même si possible, soit en lui faisant suivre à bord d'*Univers* ce qu'il pourrait y avoir d'urgent, d'insolite ou de personnel. Ce serait bizarre, après tant d'années, de ne pas pouvoir parler à qui il voulait mais, en compensation, il pourrait aussi éviter les importuns. Et après quelques jours de voyage, le vaisseau serait assez loin de la Terre pour que toute conversation en temps réel soit devenue impossible ; les communications devraient alors se faire par enregistrement de voix ou télétexte.

— Nous pensions que tu étais notre ami, se plaignit George. C'est un sale tour d'avoir fait de nous tes exécuteurs, d'autant plus que tu ne vas rien nous laisser.

— Vous aurez peut-être quelques surprises, répliqua Floyd en riant. D'ailleurs, Archie s'occupera de tous les détails. J'aimerais simplement que vous surveilliez un peu mon courrier, au cas où il y aurait quelque chose qui lui échappe.

— Si quelque chose lui échappe, à nous aussi probablement. Qu'est-ce que nous savons de toutes tes sociétés scientifiques et autres bêtises ?

— Elles n'ont besoin de personne. Veillez, s'il vous plaît, à ce que le personnel de nettoiement ne mette pas trop de désordre pendant mon absence... et si je ne revenais pas, voici quelques effets personnels que je voudrais faire porter... des affaires de famille, surtout.

La famille ! On ne vivait pas aussi longtemps que lui sans éprouver de peines, autant que de plaisirs.

Il y avait soixante-trois ans — soixante-trois ! — que Marion était morte dans une catastrophe aérienne. Il éprouvait maintenant un vague remords de ne pouvoir réveiller en lui le chagrin qu'il avait dû ressentir. Au mieux, il pouvait s'en faire une représentation mentale mais c'était une reconstitution artificielle, pas un authentique souvenir.

Ce qu'ils auraient été l'un pour l'autre, si elle était encore en vie ! Elle aurait tout juste cent ans, à présent...

Et aujourd'hui, les deux petites filles qu'il avait tant aimées étaient des étrangères aux cheveux gris, de près de soixante-dix ans, amicales certes, avec des enfants et des petits-enfants ! Au dernier recensement, il y en avait neuf, dans cette branche de la famille ; sans l'aide d'Archie, jamais il n'aurait pu se rappeler tous les noms. Mais au moins tout le monde se souvenait de lui à Noël, par devoir sinon par affection.

Son second mariage, naturellement, avait estompé les souvenirs du premier, comme une écriture postérieure sur un palimpseste médiéval. Lui aussi s'était terminé, il y avait cinquante ans, quelque part entre la Terre et Jupiter. Malgré son espoir d'une réconciliation avec sa femme et son fils, il n'avait eu le temps que d'une brève rencontre, entre toutes les cérémonies d'accueil, avant que son accident l'exilât à Pasteur.

Cette rencontre n'avait pas été une réussite, pas plus que la seconde — organisée à grands frais et au prix de mille difficultés à bord de l'hôpital spatial — en fait, dans cette même pièce. Chris avait alors vingt ans et venait de se marier ; s'il y avait une chose capable d'unir Floyd et Caroline, c'était la désapprobation face au choix de leur fils.

Pourtant, Helena s'était révélée une personne remarquable, une bonne mère pour Chris II, né un mois seulement après le mariage. Et lorsque, comme beaucoup d'autres jeunes femmes, elle avait été rendue veuve par la catastrophe de Copernic, elle n'avait pas perdu la tête.

Il y avait une singulière ironie dans le fait que Chris I et Chris II avaient tous deux perdu leur père dans l'espace, bien que différemment. Floyd était brièvement revenu à son fils de huit ans pour qui il était un parfait inconnu ; Chris II avait au moins vécu avec son père pendant la première décennie de sa vie, avant de le perdre à jamais.

Et *où* était Chris II, à présent ? Ni Caroline ni Helena — devenues les meilleures amies du monde — n'avaient l'air de savoir s'il était sur la Terre ou dans l'espace. Mais ça, c'était typique de son tempérament ; seules des cartes postales portant le cachet de la base de Clavius avaient informé sa famille de sa première visite sur la Lune.

La carte que Floyd avait reçue était encore collée au-dessus

49

de son bureau. Chris avait un excellent sens de l'humour...
et de l'Histoire. Il avait envoyé à son grand-père la célèbre
photo du monolithe de Tycho dominant les silhouettes en
combinaison spatiale réunies autour de lui, il y avait plus
d'un demi-siècle. Tous les autres membres de ce groupe,
étaient morts et le monolithe lui-même ne se trouvait plus
sur la Lune. En 2006, après bien des controverses, il avait
été transporté sur la Terre et installé sur l'esplanade des
Nations Unies — reflet extraterrestre de l'immeuble principal érigé sur la place. L'intention était de rappeler à la race
humaine qu'elle n'était plus seule ; cinq ans plus tard, avec
Lucifer flamboyant dans le ciel, ce rappel n'était plus nécessaire.

Les doigts de Floyd tremblèrent un peu — parfois sa
main droite lui semblait animée d'une volonté propre —
quand il détacha la carte de la paroi et la glissa dans sa
poche. Ce serait presque le seul effet personnel qu'il empor-
terait à bord d'*Univers*.

— Vingt-cinq jours, dit Jerry. Tu reviendras avant qu'on
s'aperçoive que tu es parti. Et, au fait, c'est vrai que tu auras
Dimitri à bord ?

— Ce petit cosaque ! s'écria George avec mépris. J'ai
dirigé sa Seconde Symphonie en 22.

— Est-ce que ce n'était pas quand le premier violon a
vomi pendant le largo ?

— Non, c'était Mahler, pas Mihailovitch. Et d'abord
c'était un cuivre, personne n'a rien remarqué, à part le malheureux joueur de tuba, qui a vendu son instrument dès le
lendemain.

— C'est une blague !

— Naturellement, mais fais toutes mes amitiés à ce vieux
sacripant et demande-lui s'il se souvient de cette sacrée nuit
que nous avons passée à Vienne. Qui d'autre y aura-t-il à
bord ?

— J'ai entendu d'horribles rumeurs de recrutement
forcé, hasarda Jerry.

— Fort exagérées, je puis vous l'assurer. Nous avons tous
été personnellement choisis par Sir Lawrence pour notre

intelligence, notre esprit, notre charme, notre charisme et autres vertus rédemptrices.

— Pas parce que vous étiez des cobayes tout désignés ?

— Ma foi, maintenant que tu en parles, nous avons tous dû signer un document officiel déprimant, absolvant à l'avance la Compagnie Spatiale Tsung de toute faute. La copie en est dans ce dossier, au fait.

— Aurions-nous des chances de toucher quelque chose avec ? demanda George.

— Non, mes avocats disent que c'est en béton. Tsung s'engage à me transporter à Halley et retour, à me fournir de quoi manger, de l'eau, de l'air et une chambre avec vue.

— Et en échange ?

— Quand je reviendrai, je ferai de mon mieux pour promouvoir de futures croisières, je donnerai des conférences vidéo, j'écrirai quelques articles — exigences somme toute très raisonnables en échange d'une telle expérience. Ah oui, je distrairai aussi mes compagnons de voyage, et vice versa.

— Comment ? En dansant et en chantant ?

— Eh bien, j'espère infliger des morceaux choisis de mes Mémoires à un auditoire captivé. Mais je ne crois pas que je pourrai concurrencer les professionnels. Savez-vous qu'Yva Merlin sera à bord ?

— Quoi ! Comment ont-ils fait pour l'arracher à sa cellule de Park Avenue ?

— Elle doit avoir au moins cent ans et... Oup ! Pardon, Hey.

— Elle en a soixante-dix, plus ou moins cinq.

— Oublie les moins. J'étais tout gosse quand *Napoléon* est sorti.

Un long silence tomba, pendant lequel les trois hommes évoquèrent leurs souvenirs de cette œuvre mémorable. Quelques critiques avaient considéré que Scarlett O'Hara était son meilleur rôle mais, pour le grand public, Yva Merlin (née Evelyn Miles, à Cardiff, au Pays de Galles) était encore Joséphine. Il y avait presque un demi-siècle, la superproduction controversée de David Griffith avait enchanté les Français et fait enrager les Britanniques, encore qu'aujourd'hui les deux camps fussent d'accord pour reconnaître que ses impulsions artistiques l'avaient poussé à bousculer un peu l'Histoire, surtout dans la séquence finale spectaculaire du couronnement de l'Empereur dans l'abbaye de Westminster.

— C'est un sacré scoop pour Sir Lawrence, observa George, tout pensif.

— Je crois qu'un peu de cet honneur me revient. Le père d'Yva était astronome — il a travaillé un moment avec moi — et elle a toujours été fort intéressée par les sciences. Alors j'ai donné quelques coups de vidéo.

Heywood Floyd ne jugea pas nécessaire d'ajouter que, comme une fraction substantielle de la race humaine, il était tombé amoureux d'Yva dès la sortie de *GWTW Mark II*, le remake d'*Autant en emporte le vent*.

— Bien entendu, reprit-il, Sir Lawrence était enchanté mais j'ai dû le convaincre qu'elle avait plus qu'un intérêt distrait pour l'astronomie. Autrement, le voyage aurait été une catastrophe mondaine.

— Ce qui me rappelle..., dit George en exhibant le petit paquet qu'il tentait, assez maladroitement, de cacher derrière son dos. Nous avons un petit cadeau pour toi.

— Je peux l'ouvrir tout de suite?

— Tu crois que c'est prudent? demanda anxieusement Jerry.

— Dans ce cas, je l'ouvre! déclara Floyd en dénouant aussitôt le ruban de satin vert vif.

C'était une peinture joliment encadrée. Floyd ne s'y connaissait pas beaucoup mais il avait déjà vu ce tableau; d'ailleurs, qui pourrait jamais l'oublier?

Le radeau de fortune secoué par les vagues était plein de naufragés à demi nus, certains déjà moribonds, d'autres faisant des signes désespérés à un navire visible à l'horizon. Dessous, il y avait la légende:

LE RADEAU DE LA MÉDUSE
(Théodore Géricault, 1791-1824)

Et, plus bas, un message signé de George et Jerry : « Le plus amusant, c'est le voyage. »

— Vous êtes deux beaux salauds mais je vous adore, dit Floyd en les embrassant tous les deux.

Le voyant ATTENTION clignotait sur le tableau de commandes d'Archie ; il était temps de partir.

Les amis s'en allèrent dans un silence plus éloquent que des mots. Pour la dernière fois, Heywood Floyd contempla la petite pièce qui avait été son univers pendant près de la moitié de sa vie.

Et, subitement, il se rappela la fin du poème :

I have been happy ; happy now I go.

« J'ai été heureux ; heureux je pars aujourd'hui. »

8. FLOTTE STELLAIRE

Sir Lauwrence Tsung n'était pas un sentimental et il
était un trop grand voyageur pour prendre au sérieux le
patriotisme, encore que lorsqu'il était tout jeune étudiant il
eût porté brièvement les nattes artificielles à la mode pendant la troisième révolution culturelle. Malgré tout, la
reconstitution, au Planétarium, de la catastrophe de *Tsien*
l'émut profondément et l'amena à consacrer à l'espace une
grande partie de son énergie et de son influence considérables.

Bientôt, il prit l'habitude de week-ends sur la Lune et
nomma son avant-dernier fils Charles (l'enfant à trente-
deux millions de sols) vice-président de Tsung Astrofret. La
nouvelle société n'avait que deux fusées-bélier à propulsion
d'hydrogène, lancées par catapulte, mais elles suffiraient à
apporter à Charles une expérience qui, Sir Lawrence en était
certain, serait indispensable dans les décennies à venir.
Enfin, enfin ! L'ère spatiale allait réellement débuter.

Un demi-siècle à peine avait séparé les frères Wright de

l'ère du transport aérien bon marché et à la portée de tous ; il avait fallut deux fois plus de temps pour relever le défi infiniment plus grand du système solaire.

Lorsque Luis Alvarez et son équipe avaient découvert la fusion muon-catalysée dans les années 1950, elle était simplement apparue comme une amusante curiosité de laboratoire, d'un intérêt purement théorique. Tout comme le grand Lord Rutherford avait ridiculisé les perspectives de la puissance atomique, Alvarez lui-même doutait que cette « fusion nucléaire froide » pût un jour avoir une importance pratique. Il fallut attendre 2040 pour que la fabrication accidentelle de « composés » muonium-hydrogène stables amène à tourner une nouvelle page de l'histoire humaine, exactement comme la découverte du neutron avait inauguré l'âge atomique.

À présent, il était possible de construire de petites centrales nucléaires portatives, avec un minimum de boucliers. Des investissements tellement énormes avaient déjà été consacrés à la fusion conventionnelle que les services internationaux de l'électricité ne furent d'abord pas perturbés mais l'impact sur les voyages spatiaux fut immédiat ; une telle révolution n'était comparable qu'à celle du siècle précédent dans les transports aériens.

Les vaisseaux spatiaux, n'étant plus énergétiquement limités, pouvaient atteindre des vitesses infiniment supérieures ; les temps de vol dans le système solaire allaient se mesurer en semaines, plutôt qu'en mois ou même en années. Mais la propulsion-muon demeurait un système à réaction, une fusée sophistiquée, pas très différente dans le principe de ses ancêtres à carburant chimique ; il lui fallait un liquide actif pour lui imprimer une poussée. Et le meilleur marché de tous les liquides actifs, le plus propre, le plus commode était... l'eau.

Le Pacific Spaceport ne risquait pas de se trouver à court de cet utile carburant. Il en allait tout autrement à l'escale suivante, sur la Lune. Pas la moindre trace d'eau n'avait été découverte par les missions Surveyor, Apollo et Luna. Si jamais la Lune avait possédé une eau indigène, des millé-

55

naires de bombardements météoriques l'avaient fait bouillir et jaillir dans l'espace.

C'était du moins ce que croyaient les sélénologues ; pourtant, des indices du contraire étaient visibles depuis que Galilée avait braqué son télescope sur la Lune. Quelques montagnes lunaires, pendant quelques heures après l'aube, étincellent comme si elles étaient couronnées de neige. L'exemple le plus connu est celui du magnifique cratère Aristarque que William Herschel, le père de l'astronomie moderne, vit briller si vivement dans la nuit lunaire qu'il jugea que ce devait être un volcan en activité. Il se trompait ; ce qu'il avait vu, c'était le clair de Terre reflété sur une mince et fugace couche de givre, condensé pendant les trois cents heures d'obscurité glaciale.

La découverte d'immenses dépôts de glace sous la vallée de Schroter, la gorge sinueuse qui partait d'Aristarque, fut le dernier membre de l'équation qui allait révolutionner l'économie du vol spatial. La Lune pouvait devenir une station-service, exactement à l'endroit adéquat, très haut aux confins du champ de gravitation terrestre, au départ de la longue traversée vers les planètes.

Cosmos, le premier vaisseau de la compagnie Tsung, fut conçu pour transporter du fret et des passagers sur la ligne Terre-Lune-Mars et, à la suite d'accords complexes avec plus d'une dizaine d'organisations et de gouvernements, utilisé pour expérimenter la propulsion-muon. Construit au chantier spatial d'Imbrium, il avait une force de poussée juste suffisante pour décoller à vide de la Lune ; évoluant d'orbite en orbite, il ne toucherait plus jamais la surface d'aucun monde. Avec son sens habituel de la publicité, Sir Lawrence s'arrangea pour que le départ du voyage inaugural ait lieu le jour du centenaire de Spoutnik, le 4 octobre 2057.

Deux ans plus tard, le vaisseau jumeau *Galaxy* vint s'ajouter à *Cosmos*. Conçu pour la liaison Terre-Jupiter, il pouvait opérer directement vers n'importe quel satellite jupitérien, à condition de sacrifier considérablement la charge utile. En cas de besoin, il pouvait même retourner à son port lunaire pour réparations. C'était de loin le véhicule le plus rapide jamais conçu par l'homme : en consommant d'un coup la totalité de son combustible en un unique effort d'accélération, il était capable d'atteindre une vitesse de mille kilomètres-seconde, ce qui lui permettrait d'effectuer la liaison Terre-Jupiter en une semaine et de se rendre sur l'étoile la plus voisine en à peine plus de dix mille ans.

Le troisième vaisseau de la compagnie — l'orgueil et la joie de Sir Lawrence — tirait parti de toute l'expérience accumulée sur les deux premiers. Mais *Univers* n'avait pas une vocation de cargo. Il était destiné à devenir le premier « paquebot » stellaire sur les lignes spatiales, jusqu'à Saturne, ce joyau du système solaire.

Sir Lawrence projetait quelque chose de spectaculaire pour son voyage inaugural mais les retards de la construction, dus à un conflit avec le Syndicat réformé des routiers, avaient bouleversé l'agenda. On aurait tout juste le temps de procéder aux premiers essais en vol et de remplir les contrats d'assurances dans les derniers mois de 2060, avant qu'*Univers* quitte l'orbite terrestre pour son rendez-vous. Et il s'en faudrait de bien peu : la comète de Halley n'attendrait pas, pas même pour Sir Lawrence Tsung.

9. LE MONT ZEUS

LE SATELLITE D'OBSERVATION EUROPA VI, SUR ORBITE depuis près de quinze ans, avait largement dépassé ses prévisions de vie. Quant à savoir si cela valait la peine de le remplacer, c'était le sujet d'innombrables débats dans la communauté scientifique de Ganymède.

Il était équipé des habituels instruments d'information complétés par un système pratiquement caduc de transmission d'images. Mais bien que toujours en parfait état de marche, il n'avait rien d'autre à montrer d'Europe qu'une couverture de nuages uniforme. L'équipe scientifique surmenée de Ganymède visionnait rapidement les enregistrements une fois par semaine et retransmettait à la Terre l'information brute. Dans l'ensemble, les savants avouaient qu'ils seraient plutôt soulagés quand Europa VI expirerait et que ce torrent d'informations sans intérêt serait enfin tari.

Et voilà que soudain, pour la première fois depuis des années, il se produisait quelque chose de passionnant.

— Orbite 71934, dit l'astronome en chef adjoint qui avait

appelé Van der Berg dès l'évaluation des derniers renseignements. Arrivant de la face nocturne et se dirigeant droit sur le mont Zeus. Mais vous n'allez rien voir avant dix secondes.

L'écran était complètement noir. Pourtant Van der Berg pouvait imaginer le paysage gelé passant sous la couche de nuages mille kilomètres plus bas. Dans quelques heures, le lointain Soleil y brillerait, car Europe tournait autour de son axe en sept jours terrestres. La face nocturne aurait dû être appelée en réalité face crépusculaire, parce que pendant la moitié du temps elle recevait assez de lumière, mais aucune chaleur. Néanmoins, le nom inapproprié était resté, à cause de sa valeur émotionnelle : Europe connaissait l'aurore, le lever du soleil, mais jamais le lever de Lucifer.

Et l'aurore arrivait à présent, accélérée mille fois par la sonde ultra-rapide. Une bande vaguement lumineuse traversa l'écran alors que l'horizon émergeait des ténèbres.

L'explosion de lumière fut si subite que Van der Berg crut presque regarder l'éclat d'une bombe atomique. En une fraction de seconde, elle passa par toutes les couleurs de l'arc-en-ciel puis elle devint d'un blanc pur quand le soleil bondit au-dessus de la montagne... et disparut au moment où les filtres automatiques entrèrent en action.

— C'est tout. Dommage qu'il n'y ait pas eu d'opérateur de service, sur le moment, il aurait pu pointer la caméra vers le bas et avoir une bonne image de la montagne pendant le survol. Mais je savais que vous voudriez voir ça, même si ça réfute votre hypothèse.

— Comment cela ? demanda Van der Berg, plus perplexe qu'irrité.

— Quand vous regarderez ça au ralenti, vous comprendrez. Ce magnifique effet d'arc-en-ciel, ce n'est pas atmosphérique, c'est provoqué par la montagne *elle-même*. Seule de la glace pourrait faire ça. Ou du verre, ce qui ne paraît pas très vraisemblable.

— Pas impossible. Les volcans produisent du verre naturel mais en général il est noir... Bien sûr !

— Oui ?

— Euh... Je ne veux pas m'engager avant d'avoir étudié tous les renseignements, mais à mon avis, cela pourrait être du cristal de roche, un quartz transparent. On en fabrique de superbes prismes et des lentilles. Y a-t-il des chances d'obtenir d'autres observations ?

— Hélas non. Celle-ci était un pur hasard, le soleil, la montagne et la caméra tous alignés au bon moment. Cela ne se reproduira plus en mille ans.

— Merci quand même. Pouvez-vous m'envoyer une copie ? Rien ne presse. Je dois partir maintenant pour un voyage d'études à Perrine, alors je ne pourrai l'examiner qu'à mon retour, dit Van der Berg avec un petit rire bref, comme pour s'excuser. Vous savez, si c'était vraiment du cristal de roche, ça vaudrait une fortune. Ça pourrait même résoudre notre problème de la balance du budget...

Mais cela, naturellement, était du domaine du fantastique pur. Quelles que soient les merveilles — ou les trésors — recelées par Europe, l'accès en était interdit à la race humaine par ce dernier message de *Discovery*. Cinquante ans plus tard, aucun signe n'indiquait que l'interdiction eût été révoquée.

10. LA NEF DES FOUS

PENDANT LES PREMIÈRES QUARANTE-HUIT HEURES DU voyage, Heywood Floyd n'arrivait pas à croire au confort, à l'espace vital, au *luxe* inimaginable des installations d'*Univers*. En revanche, la plupart de ses compagnons de voyage trouvaient cela tout naturel ; ceux qui n'avaient encore jamais quitté la Terre pensaient sans doute que tous les vaisseaux spatiaux étaient ainsi.

Il ne pouvait s'empêcher de revenir en arrière, aux temps héroïques de l'astronautique, pour remettre les choses dans la bonne perspective. Au cours de sa propre existence, il avait assisté à la révolution — et l'avait même vécue — survenue dans les cieux de la planète qui rapetissait en ce moment derrière lui. Cinquante ans exactement séparaient le vieux *Leonov* lourdaud de cet *Univers* sophistiqué. (Il ne pouvait réellement y croire, émotionnellement, mais il était impossible de discuter avec l'arithmétique.)

Et tout juste cinquante ans avaient séparé les frères Wright des premiers avions commerciaux à réaction. Au commencement de ce demi-siècle, d'intrépides aviateurs avaient fait des sauts de puce de prairie en prairie, les yeux protégés par de grosses lunettes et exposés à tous les vents dans des sièges de bois ; sur la fin, des grand-mères dormaient paisiblement d'un continent à l'autre à mille kilomètres à l'heure.

Il n'aurait donc pas dû tellement s'étonner du luxe et de l'élégance de sa cabine, ni même d'avoir un steward pour la tenir en ordre. Le vaste hublot était ce qu'il y avait de plus effarant et au début il éprouva un malaise réel à la pensée des tonnes de pression atmosphérique qu'il contenait pour faire échec à l'implacable et immuable vide de l'espace.

La plus grande surprise, à laquelle pourtant la littérature scientifique aurait dû le préparer, était la présence de gravité. *Univers* était le premier vaisseau spatial construit pour croiser en accélération (ou décélération) continue, à part les quelques heures de demi-tour à mi-parcours. Quand ses énormes réservoirs de carburant étaient pleinement chargés de leurs cinq mille tonnes d'eau, il arrivait à un dixième de G, peu de chose mais assez pour éviter que les objets non arrimés se promènent partout. C'était particulièrement commode aux heures des repas, mais il fallut quand même quelques jours aux passagers pour apprendre à ne pas tourner leur potage trop vigoureusement.

A quarante-huit heures de la Terre, la population d'*Univers* s'était déjà stratifiée en quatre classes distinctes.

L'aristocratie se composait du capitaine Smith et de ses officiers. Ensuite venaient les passagers, puis l'équipage, sous-officiers et stewards. Et il y avait enfin l'entrepont...

C'était le titre que s'étaient attribué les cinq jeunes spatiologues, d'abord en manière de plaisanterie et ensuite avec une certaine amertume. Quand Floyd comparait leurs aménagements exigus et leur installation de fortune avec sa somptueuse cabine, il comprenait leur point de vue ; petit à petit, il devint la courroie de transmission de leurs plaintes au capitaine.

Tout bien considéré, cependant, ils n'avaient guère de raisons de ronchonner ; dans la précipitation des derniers préparatifs, c'était tout juste si l'on était sûr qu'il y aurait de la place pour leur matériel. Maintenant, ils avaient l'espoir de déployer leurs instruments autour de la comète — et dessus — avant qu'elle contourne le Soleil et reparte vers l'extrémité du système solaire. Les membres de l'équipe scientifique allaient fonder leur réputation sur ce voyage, ils en avaient la certitude. Ce n'était que dans les moments d'épuisement ou de rage contre des instruments récalcitrants qu'ils se plaignaient de la climatisation bruyante, des cabines ridiculement petites et de bizarres odeurs d'origine inconnue.

Mais jamais des repas qui, de l'avis de tout le monde, étaient excellents.

— Bien meilleurs, leur assurait le capitaine Smith, que ce que Darwin avait à bord du *Beagle*.

A quoi Victor Willis rétorqua une fois :

— Qu'est-ce qu'il en sait ? Et d'abord, le commandant du *Beagle* s'est tranché la gorge, à son retour en Angleterre.

C'était une réflexion assez caractéristique de Victor, le plus renommé sans doute des spécialistes en communication scientifique de la planète (aux yeux de ses admirateurs) ou des savants « pop » (pour ses détracteurs, tout aussi nombreux, qu'il aurait été injuste toutefois d'appeler des ennemis ; l'admiration de son talent était universelle, bien que souvent accordée à contrecœur). Son accent doux et chantant du mi-Pacifique et ses gestes éloquents devant les caméras étaient souvent parodiés et on lui attribuait l'honneur (ou la honte) du renouveau de la barbe. « Un homme qui se laisse pousser tant de poils, aimaient à dire ses critiques, doit avoir quelque chose à cacher. »

Parmi les six VIP, Floyd était incontestablement le plus facile à identifier, bien qu'il ne se considérât plus comme une célébrité. Il appelait ironiquement les autres les « Fameux Cinq ». Yva Merlin pouvait se promener à l'occasion dans Park Avenue sans être reconnue, quand il lui arrivait, très rarement, d'émerger de son appartement. Dimitri Mihailovitch, à son profond chagrin, avait quinze bons centimètres de moins que la taille moyenne ; cela expliquait peut-être son goût pour les orchestres de mille instruments — réels ou synthétisés — mais n'était pas d'un bien grand secours pour son image de marque.

Clifford Greenberg et Margaret M'Bala entraient aussi dans la catégorie des « illustres inconnus », mais cela changerait vite à leur retour sur Terre. Le premier homme à avoir atterri sur Mercure avait une de ces figures anonymes sympathiques dont on a du mal à se souvenir ; et puis il y avait trente ans qu'il n'avait plus accaparé la une des journaux. Quant à Mme M'Bala, comme la plupart des auteurs qui fuyaient les débats télévisés, les interviews et les chasseurs d'autographes, l'immense majorité de ses lecteurs ne risquait pas de la reconnaître.

Sa célébrité littéraire avait été une des sensations des années 40. Une étude érudite du panthéon grec n'avait logiquement aucune chance de figurer sur les listes de best-sellers, mais elle avait placé ces inépuisables mythes éternels dans un décor contemporain de l'ère spatiale. Des noms qui un siècle plus tôt n'étaient familiers qu'aux astronomes et aux universitaires classiques faisaient maintenant partie du paysage culturel de toute personne tant soit peu instruite ; presque tous les jours, il y avait des nouvelles de Ganymède, Callisto, Io, Titan, Iapetus, ou même de mondes encore plus obscurs comme Carme, Pasiphaé, Hypérion ou Phébé...

Son livre n'aurait néanmoins eu qu'un succès d'estime si elle ne s'était particulièrement intéressée à la vie de famille compliquée de Jupiter-Zeus, père de tous les dieux (et de bien d'autres choses). Et par un coup de chance, un éditeur génial avait changé son titre initial, *Vue de l'Olympe*, en *Passions des Dieux*. Des universitaires envieux allaient jusqu'à le baptiser *Lubricité olympienne* mais regrettaient bien de ne pas l'avoir écrit.

Assez naturellement ce fut Maggie M. — comme elle fut rapidement surnommée par ses compagnons de voyage — qui employa la première l'expression *Nef des fous*. Victor Willis l'adopta avec empressement et découvrit bientôt une curieuse résonance historique. Près d'un siècle plus tôt Katherine Ann Porter était partie avec un groupe de savants et d'écrivains à bord d'un paquebot océanique, pour assister au lancement d'*Apollo 17* et à la fin de la première phase de l'exploration lunaire.

— J'y réfléchirai, observa Mme M'Bala sur un ton menaçant quand on le lui rappela. Il est peut-être temps d'une troisième version. Mais je ne peux rien savoir, évidemment, avant notre retour sur la Terre...

11. LE MENSONGE

PLUSIEURS MOIS S'ÉCOULÈRENT AVANT QUE ROLF VAN DER
Berg puisse de nouveau consacrer sa réflexion et son énergie
au mont Zeus. L'aménagement de Ganymède lui avait pris
tout son temps et il lui arrivait de s'absenter des semaines
durant de son bureau principal de la base de Dardanus,
pour arpenter la voie du futur monorail Gilgamesh-Osiris.

La géographie du troisième et plus grand satellite galiléen
avait radicalement changé depuis l'explosion de Jupiter, et
continuait de se transformer. Le nouveau soleil qui avait fait
fondre la glace d'Europe n'était pas aussi puissant à cette
distance, quatre cent mille kilomètres plus loin, mais il était
assez chaud pour fournir un climat tempéré à la face perpétuellement tournée vers lui. Il y avait de petites mers peu
profondes — dont une aussi grande que la Méditerranée —
jusqu'à 40° de latitude nord et sud. On ne reconnaissait plus
grand-chose des cartes tracées par les missions Voyager du
XXe siècle. La fonte du permafrost et les mouvements tectoniques occasionnels, déclenchés par les efforts conjugués de

l'attraction des deux autres lunes proches de Jupiter, faisaient de la nouvelle Ganymède un cauchemar pour les cartographes.

Mais ces mêmes facteurs en faisaient un paradis pour les ingénieurs planétaires. C'était le seul monde — en dehors de Mars, aride et très peu hospitalier — sur lequel l'homme marcherait peut-être un jour sans avoir à se protéger, sous un ciel dégagé. Ganymède regorgeait d'eau, de tous les composants chimiques de la vie et — tout au moins quand Lucifer brillait — son climat était plus chaud que celui de la Terre.

Surtout, les combinaisons spatiales intégrales n'étaient plus nécessaires ; l'atmosphère, bien qu'encore irrespirable, était assez dense pour qu'on puisse se contenter de simples masques et de bouteilles d'oxygène. Dans quelques dizaines d'années — promettaient les microbiologistes tout en restant plutôt vagues sur les dates précises —, on pourrait même s'en passer. Des cultures de bactéries génératrices d'oxygène avaient déjà été entreprises à la surface de Ganymède ; la plupart avaient échoué mais certaines étaient florissantes et à tous les visiteurs de Dardanus on exhibait fièrement la courbe en lente élévation de l'analyse atmosphérique.

Pendant longtemps, Van der Berg garda un œil vigilant sur les informations en provenance d'Europa VI, dans l'espoir qu'un jour les nuages se dégageraient encore au moment où l'orbite du satellite l'amènerait au-dessus du mont Zeus. Il savait que les chances étaient infimes mais tant que cela restait du domaine du possible, il ne fit aucun effort pour explorer d'autres domaines de recherche. Rien ne pressait, il avait sur les bras un travail beaucoup plus important et, d'ailleurs, l'explication risquait de se révéler banale et sans intérêt.

Et puis Europa VI disparut subitement, sans doute à la suite d'un impact météorique. Sur Terre, Victor Willis se ridiculisa — de l'avis général — en interviewant les « eurodingues » qui remplissaient à merveille le vide laissé par les amateurs d'OVNI du siècle précédent. Certaines personnes affirmaient que la disparition de la sonde était due à une action hostile des habitants d'Europe ; le fait qu'ils l'eussent laissée fonctionner sans intervention pendant quinze ans — près du double de son existence prévue — ne les gênait pas du tout. Il faut dire à l'honneur de Victor qu'il souligna ce point et démolit la plupart des autres arguments des « cultistes », mais tout le monde s'accordait à penser qu'il n'aurait jamais dû leur donner une telle publicité.

Pour Van der Berg, qui aimait bien que ses confrères l'appellent le « Hollandais têtu » et faisait de son mieux pour mériter ce surnom, la fin d'Europa VI était un défi irrésistible. Il n'y avait pas le moindre espoir de crédits pour le remplacer car le brusque silence de cette sonde inutilement bavarde et à la longévité embarrassante était, pour les savants, un soulagement considérable.

Alors, quel choix lui restait-il ? Van der Berg considéra les différentes options possibles. Comme il était géologue, et non astrophysicien, il lui fallut plusieurs jours pour se rendre compte que la solution lui sautait aux yeux depuis qu'il avait atterri sur Ganymède.

L'afrikaans est une langue riche en jurons. Van der Berg jura et pesta pendant quelques minutes, puis demanda la communication avec l'observatoire de Tiamat, situé juste sur l'équateur, à la verticale du minuscule disque éblouissant de Lucifer.

Les astrophysiciens, qui s'occupent des objets les plus considérables de l'univers, ont tendance à traiter avec condescendance les simples géologues, qui consacrent leur vie à de petites choses malpropres telles que les planètes. Mais là dans les marches, à la frontière, tout le monde s'entraidait et le professeur Wilkins se montra non seulement intéressé mais aussi d'un grand secours.

L'observatoire de Tiamat avait été construit dans l'unique intention d'étudier Lucifer — c'était d'ailleurs un des motifs de l'établissement d'une base sur Ganymède. Étude d'une importance capitale, non seulement pour la recherche fondamentale mais aussi pour les ingénieurs nucléaires, les météorologues, les océanographes et, surtout, les hommes d'État et les philosophes. Que des êtres fussent capables de transformer une planète en soleil, c'était une pensée affolante qui empêchait bien des gens de dormir. L'humanité devait donc apprendre tout ce qu'elle pourrait sur ce processus ; un jour on aurait peut-être besoin de le reproduire... ou de le combattre.

Ainsi, depuis plus de dix ans, Tiamat observait Lucifer avec tous les types d'instruments possibles, enregistrait continuellement son spectre dans toute la gamme de fréquences électromagnétiques et le sondait aussi, activement, au radar depuis une modeste antenne parabolique de cent mètres jetée en travers d'un petit cratère météorique.

— Oui, répondit le Pr Wilkins, nous avons souvent examiné Europe et Io. Mais notre faisceau est braqué sur Lucifer, alors nous ne les apercevons que quelques minutes lorsqu'elles le traversent. Et votre mont Zeus est justement sur la face diurne, si bien qu'il est toujours caché à ce moment-là.

— Je comprends bien ! s'écria impatiemment Van der Berg. Mais est-ce que vous ne pourriez pas dévier légèrement le faisceau, de manière à jeter un coup d'œil sur Europe avant qu'elle n'arrive en ligne ? Dix ou vingt degrés vers la face éclairée suffiraient amplement.

— Un degré suffirait pour rater Lucifer et avoir Europe de face sur l'autre côté de son orbite. Mais à ce moment, elle serait trois fois plus éloignée, alors nous n'aurions qu'un écho cent fois plus faible... Ça pourrait marcher, quand même... Nous allons essayer. Donnez-moi les spécifications en matière de fréquences, de diagrammes d'émisssion, de polarisation, tout ce que vos spécialistes de la télédétection jugeront utile. Il ne nous faudra pas longtemps pour installer un système de déphasage qui fera glisser le faisceau de deux ou trois degrés. Au-delà, je ne peux rien dire, c'est un problème que nous n'avons jamais considéré. Nous aurions dû, peut-être... Enfin, qu'est-ce que vous espérez trouver sur Europe, à part de la glace et de l'eau ?

— Si je le savais, répliqua gaiement Van der Berg, je ne demanderais pas d'aide, n'est-ce pas ?

69

— Bon. Je ne revendiquerais pas tout l'honneur quand vous publierez vos résultats. Dommage que mon nom soit à la fin de l'alphabet ; mais vous ne me précéderez que d'une lettre.

Il y avait de cela un an ; les observations à longue portée n'avaient pas été très bonnes et le décalage du faisceau pour regarder la face diurne d'Europe juste avant la conjonction s'était révélé plus difficile que prévu. Mais, enfin, les résultats étaient là ; les ordinateurs les avaient digérés et Van der Berg fut le premier être humain à contempler une carte minéralogique d'Europe post-Lucifer.

C'était, comme l'avait dit le Pr Wilkins, essentiellement de la glace et de l'eau, avec des éperons de basalte parsemés de dépôts de soufre. Mais il y avait deux anomalies.

L'une d'elles semblait provenir d'un défaut du système de génération ; il y avait un trait absolument rectiligne, de deux kilomètres de long, qui ne renvoyait virtuellement pas d'écho radar. Van der Berg laissa le Pr Wilkins se casser la tête là-dessus ; lui-même ne s'intéressait qu'au mont Zeus.

Il avait mis longtemps à procéder à l'identification, parce que seul un fou — ou un scientifique vraiment désespéré — aurait jamais rêvé à une telle possibilité. Encore à présent, en possession de tous les paramètres vérifiés aux limites de la précision, il n'y croyait pas réellement. Et il n'avait même pas tenté d'envisager la suite.

Quand le Pr Wilkins téléphona, avide de voir son nom figurer dans toutes les banques de données, il marmonna qu'il était encore en train d'analyser les résultats. Mais, finalement, il ne put reculer davantage.

— Rien de bien passionnant, dit-il à son confrère. Simplement une forme assez rare de quartz, je cherche encore un équivalent parmi les échantillons terrestres.

C'était la première fois qu'il mentait à un confrère scientifique et il en éprouvait un terrible remords.

Mais quel autre choix avait-il ?

12. OOM PAUL

Rolf Van der Berg n'avait pas vu son oncle Paul depuis dix ans et il n'était guère probable qu'il le reverrait un jour en chair et en os. Cependant, il se sentait très proche du vieux savant, le dernier de sa génération et le seul qui pût encore évoquer (quand il le voulait, c'est-à-dire rarement) le mode de vie de ses ancêtres.

Le Pr Paul Kreuger — « Oom Paul » pour toute sa famille et la plupart de ses amis — était toujours là quand on avait besoin de lui, pour un renseignement ou un conseil, que ce soit en personne ou à l'autre bout d'une liaison radio de cinq cents millions de kilomètres. Le bruit courait que seules des pressions politiques avaient contraint le comité Nobel à négliger ses travaux sur la physique des particules, domaine où régnait un effroyable désordre après le grand ménage de la fin du XXe siècle.

A vrai dire, le Pr Kreuger n'en éprouvait aucun ressentiment. Modeste et discret, il avait peu d'ennemis personnels, même parmi chez les plus hargneux de ses compatriotes exilés. Il était même si universellement respecté qu'il avait été invité à plusieurs reprises à retourner en visite aux États-Unis d'Afrique du Sud mais avait toujours poliment refusé, non pas, se hâtait-il d'expliquer, qu'il craignît de courir quelque danger aux USSA mais il avait peur d'être trop bouleversé par ce retour au pays natal.

Même sous le couvert d'une langue parlée aujourd'hui par moins d'un million de personnes, Van der Berg se montra extrêmement discret, s'abritant derrière des circonlocutions et des allusions incompréhensibles à d'autres que ses proches. Mais Paul n'eut aucun mal à saisir le message de son neveu, sans pour autant le prendre au sérieux. Il craignait que le jeune Rolf se ridiculisât, se fût déjà ridiculisé. Heureusement qu'il ne s'était pas précipité pour publier sa découverte ; il avait eu au moins assez de bon sens pour se taire...

Mais une supposition... une simple supposition... Si c'était vrai ? Les derniers cheveux de Paul se dressèrent sur sa tête. Tout un spectre de possibilités — scientifiques, financières, politiques — apparaissait soudain devant ses yeux, et plus il les considérait, plus il était impressionné.

Contrairement à ses pieux ancêtres, le Pr Kreuger n'avait aucun Dieu à qui s'adresser dans les moments de crise ou de perplexité. Il le regrettait à présent, mais même s'il avait pu prier, cela ne l'eût sans doute pas aidé. En s'asseyant devant son ordinateur pour taper les codes d'accès aux mémoires, il ne savait même pas s'il devait espérer que son neveu eût fait une fabuleuse découverte ou qu'il dît n'importe quoi. Se pourrait-il que le Vieux Malin eût joué un tour aussi incroyable à l'humanité ? Paul se rappelait la célèbre réflexion d'Einstein, disant que si Dieu était subtil, il n'était jamais méchant.

Cesse de rêver, se dit le Pr Paul Kreuger. Tes espoirs et tes craintes n'ont absolument rien à voir avec la question...

Un défi lui était lancé à travers le système solaire ; il n'aurait pas de repos avant d'avoir découvert la vérité.

13. «PERSONNE NE NOUS A DIT D'APPORTER NOS MAILLOTS...»

LE CAPITAINE SMITH GARDA SA PETITE SURPRISE JUSQU'AU
Jour 5, quelques heures à peine avant la manœuvre de
retournement. Son annonce provoqua, comme il s'y attendait, une stupéfaction incrédule.

Victor Willis fut le premier à s'en remettre.

— Une *piscine* dans un vaisseau spatial? Vous vous
fichez de nous!

Le capitaine se carra dans son siège et s'apprêta à s'amu-
ser. Il sourit largement à Heywood Floyd, qui avait été déjà
mis dans la confidence.

— Ma foi, je suppose que Christophe Colomb aurait été
ahuri par le confort des navires qui l'ont suivi.

— Est-ce qu'il y a un plongeoir? demanda Greenberg
avec nostalgie. J'étais champion universitaire, dans le temps.

— Eh bien oui, justement. Il n'est que de cinq mètres,
mais cela vous donnera trois secondes de chute libre à notre
dixième de G. Et si vous voulez un plongeon plus long, je

suis sûr que M. Curtis se fera un plaisir de réduire la poussée.

— Vraiment ! s'exclama l'ingénieur principal. Et bousiller tous mes calculs d'orbite ? Sans parler du risque d'écoulement d'eau ! La tension de surface, vous savez...

— Est-ce qu'il n'y a pas eu une station spatiale, une fois, qui avait une piscine sphérique ? demanda quelqu'un.

— On a essayé ça dans le moyeu du vaisseau de Pasteur, avant la mise en rotation, répondit Floyd, mais ce n'était pas pratique. Avec une gravité zéro, elle devait être hermétiquement fermée. Et on peut très facilement se noyer dans une grande sphère d'eau, pour peu qu'on soit pris de panique.

— Une façon de figurer dans les livres des records, la première personne à se noyer dans l'espace...

— Personne ne nous a dit d'apporter nos maillots ! protesta Maggie M'Bala.

— Toute femme qui pense à mettre un maillot doit en avoir besoin, chuchota Mihailovitch à Floyd.

Le capitaine Smith tapa sur la table pour rétablir le calme.

— Écoutez-moi, je vous en prie. Comme vous le savez, à minuit nous atteindrons la vitesse maximale et devrons commencer la décélération. La poussée sera donc arrêtée à 23 heures et le vaisseau se retournera. Nous aurons deux heures d'apesanteur avant que la poussée reprenne à 1 heure. Comme vous pouvez l'imaginer, l'équipage sera assez occupé, nous profiterons de l'occasion pour effectuer une révision complète des moteurs et une inspection de la coque, qui ne peuvent être faites en marche. Je vous conseille à tous de dormir à ce moment-là, avec vos sangles de sécurité bien bouclées sur vos lits. Les stewards veilleront à ce qu'il n'y ait pas d'objets non arrimés qui pourraient provoquer des accidents avec le retour de la pesanteur. Y a-t-il des questions ?

Un profond silence lui répondit, comme si les passagers étaient encore suffoqués par la révélation et se demandaient ce qu'ils devaient en penser.

— J'espérais que vous m'interrogeriez sur le coût d'une installation si luxueuse mais puisque vous n'en faites rien, je vais vous le dire quand même. Ce n'est pas du tout un luxe, cela ne coûte rien du tout, mais nous espérons que ce sera un élément de confort appréciable au cours des futurs voyages.

« Nous devons, voyez-vous, transporter cinq mille tonnes d'eau comme masse de réaction, alors autant en faire un bon usage. Le réservoir n° 1 est maintenant aux trois quarts vide ; nous le garderons ainsi jusqu'à la fin du voyage. Alors demain, après le petit déjeuner... rendez-vous à la plage !

Compte tenu de la précipitation qui avait précédé le lancement d'*Univers*, c'était surprenant qu'on eût pu consacrer du temps à quelque chose d'aussi spectaculairement inutile.

La « plage » était une plate-forme de métal d'environ cinq mètres de large, occupant un tiers de la circonférence de l'immense réservoir. Bien que la paroi du fond ne fût qu'à vingt mètres, une projection astucieuse d'images donnait une impression d'infini. Portés sur les vagues à moyenne distance, des surfeurs filaient vers une plage qu'ils n'atteindraient jamais. Derrière eux, un magnifique voilier de croisière que n'importe quel agent de voyages aurait instantanément reconnu, le *Tai-Pan* de la Tsung Sea-Space Corporation, naviguait sur l'horizon toutes voiles déployées.

Pour compléter l'illusion, il y avait même du sable (légèrement magnétisé pour qu'il ne se hasarde pas trop loin de l'endroit qui lui était imposé) et la petite plage s'adossait à un bosquet de palmiers tout à fait réalistes, si on ne les examinait pas de trop près. Au-dessus, un chaud soleil tropical parachevait ce tableau idyllique ; il était difficile de croire que derrière ces parois le *vrai* Soleil brillait en ce moment deux fois plus dangereusement que sur n'importe quelle plage terrestre.

Le décorateur avait réellement accompli des miracles dans l'espace limité mis à sa disposition. On trouva un peu injuste le commentaire grommelé par Greenberg :

— Il n'y a même pas de ressac.

14. RECHERCHE

C'EST UN PRINCIPE SCIENTIFIQUE DE BASE QUE DE NE JAMAIS croire à un « fait » — même attesté — avant d'avoir réussi à le replacer dans un cadre de références. À l'occasion, bien sûr, une observation peut faire éclater son cadre et obliger à en construire un nouveau, mais c'est extrêmement rare. Les Galilée et les Einstein apparaissent rarement plus d'une fois par siècle, ce qui vaut infiniment mieux pour l'égalité d'humeur de l'humanité.

Le Pr Kreuger adhérait totalement à ce principe ; il n'allait pas croire à la découverte de son neveu tant qu'il ne pourrait pas expliquer ce qui lui paraissait relever d'une intervention divine. Tout en maniant son rasoir Occam encore parfaitement utilisable, il pensait qu'il était plus que probable que Rolf avait commis une erreur ; dans ce cas, il serait relativement facile de la trouver.

À la profonde surprise de l'oncle Paul, cela se révéla extrêmement difficile. L'analyse des observations du radar télé-senseur était à présent un art bien établi, et tous les experts que consultait Paul lui donnaient la même réponse, après des retards et délais considérables. Ils demandaient tous :

— Où diable avez-vous trouvé cet enregistrement ?

— Désolé, je ne suis pas libre de le révéler, répondait-il.

Il fallut donc bien supposer que l'impossible était réel et commencer des recherches dans la littérature scientifique. Cela risquait d'être une tâche énorme et il ne savait même pas par où commencer. Une chose était tout à fait certaine : une attaque bille en tête serait vouée à l'échec. Ce serait comme si Röntgen, dès le lendemain de sa découverte des rayons X, s'était mis à rechercher leur explication dans les revues de physique de son époque. L'information ne pouvait venir que bien des années plus tard.

Mais il y avait au moins une chance que ce qu'il cherchait fût caché quelque part dans la gigantesque somme de connaissances de la science actuelle. Lentement et prudemment, Paul Kreuger mit en place un programme de recherche automatique, conçu pour écarter toute information inutile et ne retenir que l'essentiel. C'est-à-dire qu'il devait négliger toutes les références à des phénomènes terrestres — il devait y en avoir des millions — pour ne se concentrer que sur les observations extraterrestres.

Un des avantages de la position éminente du Pr Kreuger était qu'il disposait d'un budget informatique illimité ; c'était une des conditions qu'il exigeait des diverses organismes qui sollicitaient ses conseils. Cette recherche-ci serait extrêmement coûteuse mais au moins il n'aurait pas à se soucier de la facture.

Pourtant, le coût fut étonnamment réduit. Il eut de la chance ; sa recherche se termina après seulement deux heures et vingt-sept minutes, à la 21 456e référence.

Le titre suffisait. Paul était tellement surexcité que son comsec lui-même refusa de reconnaître sa voix et qu'il dut répéter l'ordre par le biais de l'imprimante.

Nature avait publié un article en 1981 — près de cinq ans avant sa naissance ! — et tandis que ses yeux parcouraient rapidement la page, il comprit que son neveu avait raison et même, ce qui était tout aussi important, comment un tel miracle avait pu se produire.

Le rédacteur en chef de cette revue vieille de quatre-vingts ans devait posséder un excellent sens de l'humour. Un article décrivant les noyaux des planètes extérieures n'avait pas de quoi passionner le lecteur éventuel ; mais le titre était singulièrement accrocheur. Son comsec aurait pu lui révéler assez rapidement que ces mots venaient d'une chanson célèbre mais, naturellement, ce n'était pas là le problème.

D'ailleurs, Paul Kreuger n'avait jamais entendu parler des Beatles et de leurs fantaisies psychédéliques.

II. La vallée de la neige noire

15. RENDEZ-VOUS

HALLEY ÉTAIT MAINTENANT TROP PRÈS POUR QU'ON LA VÎT, LE comble était que les observateurs sur la Terre auraient une bien meilleure vue de la queue, qui s'étirait déjà sur cinquante millions de kilomètres perpendiculairement à l'orbite de la comète, comme une bannière flottant aux invisibles rafales des vents solaires.

Le matin du rendez-vous, Floyd se réveilla de bonne heure après un sommeil agité. Il n'avait guère l'habitude de rêver — ou tout au moins de se rappeler ses rêves — et sans aucun doute l'énervement à l'approche de la rencontre en était responsable. Il était aussi vaguement inquiet à cause d'un message de Caroline lui demandant s'il avait eu récemment des nouvelles de Chris. Il avait répondu par radio, avec une certaine irritation, que Chris n'avait jamais pris la peine de dire merci quand il l'avait aidé à obtenir un poste à bord du vaisseau jumeau d'*Univers*, *Cosmos*; peut-être en avait-il déjà assez de la ligne monotone Terre-Lune et cherchait-il de l'aventure ailleurs.

— Comme d'habitude, avait conclu Floyd, nous aurons de ses nouvelles quand il voudra bien en donner.

Tout de suite après le petit déjeuner, les passagers et l'équipe scientifique se réunirent pour une dernière conférence du capitaine Smith. Les scientifiques n'en avaient nul besoin, bien sûr, mais s'ils en éprouvaient de l'irritation, cette émotion puérile fut vite balayée par l'étrange spectacle qui apparaissait sur le principal écran vidéo.

On aurait aisément imaginé qu'*Univers* volait dans une nébuleuse, plutôt que vers une comète. Tout le ciel devant eux n'était plus qu'une brume blanche, non pas uniforme mais marbrée de condensations plus foncées, striées de bandes lumineuses et de jets étincelants irradiant tous d'un point central. A ce degré d'agrandissement, le noyau était à peine visible, minuscule point noir pourtant responsable de tous les phénomènes alentour.

— Nous coupons notre propulsion dans trois heures, annonça le capitaine. Nous ne serons plus qu'à mille kilomètres du noyau, avec une vitesse virtuelle zéro. Nous procéderons à quelques observations et confirmerons notre site d'atterrissage.

» Nous allons donc nous trouver en apesanteur à 12 heures précises. Auparavant, vos stewards de cabine s'assureront que tous les objets sont bien arrimés. Ce sera exactement comme pour la manœuvre de retournement, à cette différence que cette fois cela durera trois jours au lieu de deux heures, avant de retrouver la pesanteur.

» La gravité de Halley ? N'y pensez pas ! Pas même un centimètre-seconde au carré, à peu près le millième de celle de la Terre. Vous pourrez la détecter si vous attendez assez longtemps, mais c'est à peu près tout. Un objet met quinze secondes à tomber d'une hauteur d'un mètre.

» Par mesure de sécurité, j'aimerais vous voir tous ici dans le salon d'observation, bien assis avec vos ceintures correctement attachées, pendant le rendez-vous et l'atterrissage. D'ailleurs, c'est d'ici que vous aurez la meilleure vue et toute l'opération ne durera pas plus d'une heure. Nous n'utiliserons que de très petites corrections de poussée mais elles risquent de provoquer des troubles sensoriels mineurs.

Le capitaine parlait bien sûr du mal de l'espace mais cette expression était, d'un commun accord, tabou à bord d'*Univers*. Beaucoup de mains, néanmoins, se glissèrent discrètement sous les sièges, pour s'assurer de la présence des fameux sacs en plastique.

Sur l'écran, l'image devint plus précise à mesure qu'on augmentait le grossissement. Floyd eut un moment l'impression de se trouver dans un avion descendant à travers des nuages légers, plutôt que dans un vaisseau spatial proche de la plus célèbre de toutes les comètes. Le noyau devenait de plus en plus grand et plus net ; ce n'était plus un petit point noir mais une ellipse irrégulière, d'abord une petite île grêlée perdue dans l'océan cosmique et, tout à coup, un monde à part entière.

On n'avait pas du tout l'échelle des proportions. Floyd savait que le panorama déployé devant lui avait moins de dix kilomètres de large, et pourtant il aurait facilement imaginé qu'il contemplait un corps céleste aussi grand que la Lune. Mais la Lune n'était pas floue sur les bords, et sa surface ne produisait pas de petits jets de vapeur — ni de grands — comme les deux qu'ils avaient sous les yeux.

— Mon Dieu ! s'exclama Mihailovitch. Qu'est-ce que c'est que ça ?

Il désignait sur l'écran le bord inférieur du noyau à proximité de la face éclairée. Indiscutablement — contre toute évidence — un feu clignotait là, sur la face nocturne de la comète, avec un rythme parfaitement régulier ; allumé, éteint, allumé, éteint toutes les deux ou trois secondes.

Willis émit son célèbre toussotement : « Je peux vous expliquer ça en deux mots », mais le capitaine Smith le devança.

— Navré de vous décevoir, monsieur Mihailovitch. Ce n'est que le phare de Sampler Probe II. Il est installé là depuis un mois, attendant que nous venions le repérer.

— Quel dommage ! Je croyais qu'il pourrait y avoir quelqu'un, quelque chose là, pour nous accueillir.

— Nous n'aurons pas cette chance, hélas. Nous sommes vraiment livrés à nous-mêmes, ici. Ce phare est situé juste à l'endroit où nous avons l'intention d'atterrir, près du pôle sud de Halley et pour le moment dans l'obscurité totale. Cela facilitera le fonctionnement de nos systèmes de survie. La température monte jusqu'à 120° sur le côté ensoleillé, bien au-dessus du point d'ébullition.

— Pas étonnant que la comète bouillonne, dit sans se troubler Dimitri. Ces jets me paraissent plutôt malsains. Vous êtes sûr qu'il n'y a pas de danger ?

— C'est une autre de nos raisons d'atterrir sur la face nocturne ; il n'y a pas d'activité, là-bas. Et maintenant, si vous voulez bien m'excuser, je dois retourner sur la passerelle. C'est la première fois que j'ai l'occasion de me poser sur un nouveau monde, et je doute que j'en aurai une autre.

L'auditoire du capitaine Smith se dispersa lentement et dans un silence inhabituel. Sur l'écran d'observation, l'image se réduisit à sa taille normale et le noyau redevint un point à peine visible. Cependant, même pendant ces quelques minutes, il semblait avoir grandi et peut-être n'était-ce pas une illusion. Moins de quatre heures avant le rendez-vous, le vaisseau fonçait toujours vers la comète à cinquante mille kilomètres-heure.

Dans cette phase du vol, si jamais la moindre avarie endommageait le moteur principal, le vaisseau creuserait un cratère plus impressionnant que tous ceux qui criblaient actuellement Halley.

16. ATTERRISSAGE

L'ATTERRISSAGE FUT AUSSI PEU SPECTACULAIRE QUE L'ESPÉ-
rait le capitaine Smith. Il fut impossible aux passagers de
déceler l'instant où *Univers* opéra le contact ; une minute
entière s'écoula avant que les passagers se rendent compte
qu'ils s'étaient posés et poussent une acclamation.

Le vaisseau se trouvait à l'extrémité d'une vallée peu profonde entourée de collines ne dépassant guère plus d'une
centaine de mètres d'altitude. Celui qui se serait attendu à
voir un paysage lunaire aurait été extrêmement surpris ; ces
formations ne ressemblaient en rien aux pentes douces et
lisses de la Lune, érodées depuis des millions d'années par
les micro-bombardements de météorites.

Ici, rien n'avait plus de mille ans. Les Pyramides étaient
beaucoup plus anciennes. A chacune de ses révolutions
autour du Soleil, Halley était remodelée — et réduite — par
les feux solaires. Depuis le périhélie de 1986, la forme du
noyau s'était légèrement modifiée. Jamais à court de compa-

raisons audacieuses, Victor Willis l'exprima assez bien à ses compagnons :

— La cacahuète a pris une taille de guêpe.

Effectivement, quelques indices laissaient prévoir qu'après encore quelques révolutions, Halley se séparerait en deux fragments sensiblement égaux, comme la comète de Biela qui avait stupéfait les astronomes en 1846.

L'absence virtuelle de gravité contribuait aussi à la singularité du paysage. Partout des formations légères, instables, évoquant les fantasmes d'un peintre surréaliste, et des amoncellements de rochers en équilibre invraisemblable qui n'auraient pas subsisté plus de quelques minutes, même sur la Lune.

Bien que le capitaine Smith eût choisi de poser *Univers* en pleine nuit polaire — à cinq bons kilomètres de la chaleur incandescente du Soleil —, la luminosité était amplement suffisante. L'énorme enveloppe de gaz et de poussière entourant la comète créait un halo lumineux parfaitement approprié à cette région, proche du phénomène d'aurore boréale sur la banquise. De plus, Lucifer fournissait sa clarté égale à plusieurs centaines de pleines Lunes.

Bien que prévue, la totale absence de couleurs était décevante. *Univers* avait l'air de s'être posé dans une mine de charbon à ciel ouvert ; l'analogie n'était d'ailleurs pas inexacte car une grande partie de la noirceur environnante était due au carbone ou à ses composants, intimement mêlés de neige et de glace.

Le capitaine Smith, comme il se devait, fut le premier à débarquer, en se hissant avec précaution hors du sas principal d'*Univers*. Il mit, sembla-t-il, une éternité à atteindre le sol, deux mètres plus bas ; puis il ramassa dans sa main gantée une poignée de la poudre qui recouvrait la surface et l'examina.

À bord, tout le monde attendait les mots qui figureraient pour la postérité dans les livres d'histoire.

— On dirait du poivre et du sel, déclara le capitaine. Si c'était dégelé, ça pourrait faire pousser une assez bonne récolte.

Le plan de la mission comportait une « journée » Halley entière de cinquante-cinq heures au « pôle sud » et puis — s'il n'y avait pas de problèmes —, un déplacement de dix kilomètres vers l'« équateur » approximatif, pour étudier un des geysers durant un cycle nuit-jour complet.

Le scientifique en chef Pendrill ne perdit pas de temps. Presque immédiatement, il partit avec un confrère sur un scooter biplace à réaction vers le phare de la sonde. Ils revinrent au bout d'une heure, avec des échantillons de comète qu'ils déposèrent fièrement dans le congélateur.

Pendant ce temps, les autres équipes installaient un réseau de câbles le long de la vallée, une véritable toile d'araignée étirée entre des poteaux plantés dans la croûte friable. Ils étaient destinés à relier au vaisseau les nombreux instruments et à rendre les mouvements plus faciles à l'extérieur, ce qui permettrait d'explorer cette région de Halley sans s'encombrer de la lourde unité de manœuvre externe ; il suffisait d'attacher une longe à un câble et puis de marcher en la tenant. C'était bien plus amusant que d'opérer avec les UME, qui étaient en somme des vaisseaux spatiaux personnels, avec toutes les complications que cela supposait.

Les passagers, fascinés par ce qu'ils voyaient écoutaient les conversations radio et s'efforçaient de participer à la découverte. Mais au bout de douze heures — ou même bien avant dans le cas de l'ex-astronaute Clifford Greenberg —, le plaisir d'être un spectateur attentif commença à s'émousser. Bientôt, on parla beaucoup d'« aller dehors », sauf Victor Willis, qui se révélait d'une singulière discrétion.

— Je crois qu'il a peur, déclara avec dédain Dimitri.

Il n'aimait pas Victor depuis qu'il avait découvert que le savant n'avait pas d'oreille. Bien que ce fût extrêmement injuste pour Victor (qui acceptait avec bonne humeur de servir de cobaye à des études de sa curieuse infirmité), Dimitri se plaisait à ajouter sombrement :

— Un homme qui n'a pas la musique en lui est fait pour la trahison, les stratagèmes et les vols.

Floyd avait son opinion toute faite, avant même d'avoir quitté l'orbite de la Terre. Maggie M. était assez folle pour tenter n'importe quoi et n'aurait besoin d'aucun encouragement (son slogan : « Un auteur ne doit jamais repousser une occasion de connaître une nouvelle expérience » avait eu un impact considérable sur sa vie émotionnelle).

Yva Merlin, comme d'habitude, n'avait rien révélé de ses intentions mais Floyd était résolu à lui faire personnellement visiter la comète. C'était le moins qu'il puisse faire pour maintenir sa réputation ; tout le monde savait qu'il avait largement contribué à faire inscrire la fabuleuse ermite sur la liste des passagers et le bruit courait maintenant, par plaisanterie, qu'ils avaient une liaison. Leurs réflexions les plus innocentes étaient joyeusement interprétées par Dimitri et par le médecin du bord, le Dr Mahindran, qui feignait de les considérer avec une admiration envieuse.

Après une certaine irritation initiale — parce qu'elle lui rappelait trop vivement les émotions de sa jeunesse —, Floyd avait accepté la plaisanterie. Mais il ne savait pas ce qu'en pensait Yva et il n'avait pas encore eu le courage de le lui demander. Même à présent, dans cette microsociété où il était difficile de garder un secret pendant plus de six heures, elle conservait beaucoup de sa célèbre réserve, cette aura de mystère qui fascinait le public depuis trois générations.

Quant à Victor Willis, il venait de mettre le doigt sur un de ces petits détails dévastateurs qui peuvent détruire les projets les mieux ourdis.

Univers était équipé des toutes dernières combinaisons Mark XX, avec visières antibuée et antireflet permettant une incomparable vision de l'espace. Or, même si les casques étaient proposés en plusieurs tailles, Victor Willis ne pouvait en mettre un sans procéder à une amputation importante.

Il lui avait fallu quinze ans pour mettre au point son « look ». (« Un triomphe de l'art topiaire », avait dit un critique, peut-être avec admiration.)

Maintenant, seule sa barbe séparait Victor Willis de la comète de Halley. Il lui fallait choisir entre les deux.

17. LA VALLÉE DE LA NEIGE NOIRE

LE CAPITAINE SMITH N'AVAIT SOULEVÉ QUE PEU D'OBJEC-
tions à une EVA[1] des passagers. Il reconnaissait qu'il aurait
été absurde qu'ils aient fait tout ce chemin et de ne pas mettre le pied sur la comète.

— Pas de problèmes si vous suivez les instructions, dit-il
à l'indispensable conférence. Même si vous n'avez encore
jamais porté de combinaison spatiale — et je crois que le
commandant Greenberg et le Pr Floyd sont les seuls à en
avoir déjà revêtu —, vous verrez qu'elles sont tout à fait
confortables et entièrement automatiques. Vous n'aurez pas
à vous soucier de commandes ou de réglages, une fois que
vous serez autorisés à sortir du sas.

» Mais une règle absolue : vous ne pourrez sortir qu'à
deux en EVA. Vous aurez une escorte personnelle, naturel-

_____

1. EVA : Extra Vehicular Activities, sortie dans l'espace. (N.d.T.)

lement, reliée à vous par cinq mètres de corde de sécurité, qui pourra être allongée jusqu'à vingt en cas de besoin. De plus, vous serez attachés aux deux câbles-guides que nous avons installés sur toute la longueur de la vallée. Le code de la route est le même que sur la Terre : conduite à droite ! Si vous voulez doubler quelqu'un, vous n'avez qu'à défaire votre boucle, mais l'un de vous doit toujours rester attaché au câble. Ainsi, il n'y a aucun risque de s'en aller dériver dans l'espace. Pas de questions ?

— Combien de temps pouvons-nous rester dehors ?

— Aussi longtemps que vous voudrez, Miss M'Bala. Mais je vous recommande de rentrer au moindre signe de malaise. Une heure suffit peut-être, pour la première sortie, même si elle ne vous paraît durer que dix minutes...

Le capitaine Smith avait parfaitement raison. Heywood Floyd regarda son cadran et il fut stupéfait de voir que quarante minutes étaient passées. Cela n'aurait pas dû l'étonner, pourtant, car le vaisseau était maintenant à un bon kilomètre.

En qualité de doyen des passagers — selon n'importe quel critère — il avait eu l'honneur de la première EVA. Mais il n'avait vraiment pas eu le choix du partenaire.

— EVA avec Yva ! avait plaisanté Mihailovitch. Comment pourriez-vous résister ? Même si (ajouta-t-il avec un rire lubrique) ces fichues combinaisons ne vous permettent pas toutes les activités extra-véhiculaires que vous souhaiteriez !

Yva avait accepté sans hésitation mais sans enthousiasme non plus. Rien d'étonnant à ça, pensait ironiquement Floyd. Il n'aurait pas été tout à fait exact de dire qu'il était désillusionné — à son âge, il lui restait bien peu d'illusions — mais il était déçu. De lui-même plutôt que d'Yva ; elle échappait à toute critique et à toute louange, à la manière de la Joconde, à qui on l'avait souvent comparée.

La comparaison, bien sûr, était ridicule ; la Joconde était mystérieuse mais certainement pas érotique. Le pouvoir d'Yva résidait dans l'art de combiner les deux, avec de l'innocence en plus pour faire bon poids. Un demi-siècle plus tard, des traces des trois ingrédients étaient encore visibles, du moins aux yeux des fidèles.

Ce qui lui manquait — Floyd avait été tristement forcé de l'admettre —, c'était une vraie personnalité. Quand il essayait de concentrer sa pensée sur elle, il ne la voyait qu'à travers les rôles qu'elle avait joués. À son corps défendant, il devait admettre que le critique qui avait écrit : « Yva Merlin est le reflet des désirs de tous les hommes, mais un miroir n'a pas de caractère » n'avait pas tort.

Et maintenant, cette mystérieuse créature planait à côté de lui à la surface de la comète de Halley tandis qu'ils suivaient avec leur guide les câbles jumeaux à travers la Vallée de la Neige Noire. C'était lui qui avait imaginé ce nom et il en était puérilement fier, tout en sachant que l'appellation ne figurerait jamais sur aucune carte. Il ne pouvait y avoir de cartes d'un monde où la géographie était aussi éphémère que la pluie et le beau temps sur la Terre. Il savourait le plaisir de savoir que jamais aucun œil humain ne s'était posé sur le paysage qui les entourait et qu'il n'y en aurait plus jamais d'autre.

Sur Mars, ou sur la Lune, on pouvait parfois — avec un léger effort d'imagination et si l'on négligeait le ciel étranger — se croire sur la Terre. Là, c'était impossible parce que les immenses sculptures de neige, souvent en surplomb, ne cédaient que très peu à la gravité. On devait examiner très attentivement ce qui vous entourait pour distinguer le haut du bas.

La Vallée de la Neige Noire était rendue insolite par sa structure relativement solide, un récif rocheux encastré dans des amas volatiles d'eau et de glace hydrocarbonique. Les géologues débattaient encore de son origine, certains affirmant que c'était en réalité une portion d'un astéroïde jadis entré en collision avec la comète. Des prélèvements avaient révélé une mixture complexe de composants organiques, assez semblable à du goudron de houille congelé, mais il était certain que la vie n'avait jamais joué aucun rôle dans sa formation.

La « neige » tapissant le sol de la petite vallée n'était pas absolument noire ; quand Floyd la balayait avec le faisceau de sa torche, elle étincelait comme si un million de diamants microscopiques y étaient incrustés. Il se demanda s'il y avait effectivement des diamants sur Halley ; le carbone ne manquait certainement pas. Mais les températures et les pressions nécessaires à leur création n'avaient jamais existé là.

Cédant à une impulsion subite, Floyd se baissa pour ramasser deux poignées de cette neige ; il dut pour cela prendre fortement appui des pieds sur le câble de sécurité et il eut de lui-même la vision comique d'un funambule marchant sur la corde raide, mais la tête en bas. La croûte fragile opposa peu de résistance quand il y plongea la tête ; puis il tira doucement sur sa longe, se rétablit et se redressa avec sa poignée de comète.

Tout en pressant la masse poudreuse cristalline en une petite boule remplissant juste le creux d'une main, il regretta de ne pas la sentir à travers la matière isolante des gants. Il la contempla : elle était d'un noir d'ébène mais projetait des éclairs lumineux fugaces tandis qu'il la tournait et la retournait.

Tout à coup, dans son imagination, elle devint du blanc le plus pur... et il fut de nouveau un petit garçon sur un terrain de jeux, un hiver de son enfance, entouré des fantômes de sa jeunesse. Il entendait même les cris de ses camarades qui le taquinaient et le menaçaient de leurs boules de neige immaculée...

La vision fut brève mais bouleversante, et elle l'emplit de tristesse. Avec le recul d'un siècle, il ne se rappelait plus un seul de ces amis dont les spectres l'entouraient ; et pourtant certains lui avaient été chers, il le savait.

Des larmes lui montèrent aux yeux et ses doigts se crispèrent sur la petite boule de neige extraterrestre. La vision se dissipa ; il redevint lui-même. L'heure n'était pas à la tristesse mais au triomphe.

— Mon Dieu ! s'écria-t-il, et l'écho de ses mots se répercuta dans le minuscule univers sonore de sa combinaison. Me voici debout sur la comète de Halley ! Que puis-je exiger de plus ? Si un météore me frappait maintenant, je n'aurais pas à me plaindre !

Il leva le bras et lança la boule de neige vers les étoiles. Elle était si petite et si foncée qu'elle disparut presque instantanément, mais il continua de scruter le ciel.

Et tout à coup, elle réapparut dans une subite explosion de lumière alors qu'elle atteignait les rayons du soleil invisible. Noire comme de la suie, elle reflétait malgré tout assez de cet éclat aveuglant pour être facilement repérable dans le ciel vaguement luminescent.

Floyd la contempla jusqu'à ce qu'elle finisse par disparaître, peut-être par évaporation, peut-être sous l'effet de la distance. Elle ne pouvait subsister longtemps dans ce terrible torrent de radiations, là-haut, mais combien d'hommes pourraient se vanter d'avoir créé leur comète personnelle ?

18. OLD FAITHFUL

L'EXPLORATION PRUDENTE DE LA COMÈTE COMMENÇA alors qu'*Univers* était encore dans l'obscurité polaire. D'abord, des UME à une place explorèrent en les survolant lentement les faces diurne et nocturne, enregistrant tout ce qui paraissait intéressant. Une fois ces observations préliminaires terminées, des groupes comportant jusqu'à cinq savants partirent à bord de la navette du vaisseau pour déposer du matériel et des instruments aux points stratégiques.

Lady Jasmine était bien différente des petits engins spatiaux primitifs de l'ère de *Discovery* qui n'étaient capables d'opérer que dans un environnement sans gravité. La navette était en réalité un vaisseau spatial en réduction, conçu pour transporter du personnel et du fret léger entre *Univers* resté sur orbite et la surface de Mars, de la Lune ou des satellites jupitériens. Son chef pilote, qui la traitait comme la grande dame qu'elle était, se plaignait avec une

94

feinte amertume de l'indignité de voler autour d'une misérable petite comète.

Quand le capitaine Smith fut tout à fait sûr que Halley ne dissimulait aucune mauvaise surprise — tout au moins à la surface —, il décolla du pôle. Un déplacement d'une douzaine de kilomètres seulement transporta *Univers* dans un tout autre monde, du crépuscule scintillant qui durait des mois à un domaine du cycle de la nuit et du jour. Et, à l'aube, la comète s'anima lentement.

Tandis que le Soleil s'élevait au-dessus de l'horizon au relief déchiqueté, ridiculement proche, ses rayons touchaient un à un les innombrables petits cratères criblant la croûte. La plupart restaient inactifs, leur étroit gosier bloqué par les incrustations de sels minéraux. Nulle part ailleurs, sur Halley, n'existait un aussi vif déploiement de couleurs ; elles avaient égaré les biologistes qui avaient cru que la vie commençait là, comme elle avait commencé sur la Terre, sous forme d'algues. Nombreux étaient ceux qui n'avaient pas encore abandonné cet espoir, même s'ils se refusaient à l'admettre.

Mais d'autres cratères, des volutes de vapeur s'élevaient déjà vers le ciel, en panaches anormalement rectilignes puisqu'il n'y avait pas de vent pour les dissiper. Généralement, il ne se passait rien d'autre pendant une heure ou deux ; mais quand la chaleur du Soleil à la verticale atteignait l'intérieur gelé, Halley se mettait à « gicler, disait Victor Willis, comme une bande de baleines ».

La comparaison était pittoresque mais pas tout à fait exacte. Les jets de la face diurne de Halley n'étaient pas intermittents, ils jaillissaient régulièrement pendant des heures. Et ils ne se recourbaient pas pour retomber à la surface mais continuaient de s'élever tout droit dans le ciel, pour aller se perdre dans le brouillard lumineux qu'ils créaient.

Au commencement, l'équipe scientifique traita ces geysers avec autant de précautions que des vulcanologues s'approchant de l'Etna ou du Vésuve aux moments les moins prévisibles de ces volcans. Mais ils ne tardèrent pas à découvrir que les éruptions de Halley, malgré leur aspect un peu effrayant, étaient singulièrement aimables et sages ; la force des jets ne dépassait pas celle d'une lance à incendie et l'eau était à peine tiède. Quelques secondes après s'être échappée de son réservoir souterrain, elle se fondait en un mélange de vapeur et de cristaux de glace. Halley était enveloppée d'une perpétuelle tempête de neige, qui tombait *de bas en haut.* Pas une goutte d'eau ne retournait à sa source. À chaque révolution de la comète autour du Soleil, davantage de son « sang » fuyait dans l'insatiable vide de l'espace.

Cédant à la demande générale, le capitaine Smith accepta de poser *Univers* à cent mètres d'Old Faithful, le plus grand geyser de la face diurne. C'était un spectacle impressionnant, une colonne de brume d'un gris blanchâtre, poussant comme un arbre géant d'un orifice étonnamment petit au centre d'un cratère de trois cents mètres de diamètre, qui semblait être une des formations les plus anciennes de l'astre. Bientôt, les savants grouillèrent dans tout le cratère, pour recueillir des spécimens de ses minéraux multicolores (et complètement stériles, hélas) et plonger sans hésitation leurs thermomètres et éprouvettes dans la colonne d'eau-glace-brume elle-même.

— Si elle envoie l'un de vous dans l'espace, avertit le capitaine, n'espérez pas que nous allions vous chercher. En fait, nous n'avons qu'à attendre que vous reveniez, peut-être.

— Qu'est-ce qu'il veut dire par là ? demanda Dimitri Mihailovitch, perplexe.

Comme d'habitude, Victor Willis fut prompt à la réplique :

— En mécanique céleste, les choses ne se passent pas toujours comme on s'y attend. Tout ce qui est rejeté de Halley à une vitesse raisonnable continue de se déplacer essentiellement sur la même orbite. Il faudrait un *énorme* changement de vitesse pour créer une différence. Une révolution plus tard, les deux orbites se recoupent... et vous revenez à votre point de départ. De soixante-seize ans plus vieux, naturellement.

Pas très loin d'Old Faithful, les savants découvrirent un autre phénomène que personne n'aurait pu logiquement prévoir. Ils eurent du mal à en croire leurs yeux. Sur plusieurs hectares, exposé au vide de l'espace, s'étalait une sorte de lac, tout à fait ordinaire, uniquement remarquable par sa noirceur extrême.

Cela ne pouvait être de l'eau, évidemment ; les seuls liquides susceptibles d'une stabilité suffisante dans cet environnement étaient les huiles ou goudrons organiques lourds. En réalité, le lac Tuonela ressemblait à de la poix, tout à fait solide à part une couche poisseuse à la surface de moins d'un millimètre d'épaisseur. Dans cette gravité négligeable, il avait dû falloir des années, sans doute plusieurs voyages autour des feux du Soleil, pour lui donner son aspect lisse de miroir.

Le lac devint une des principales attractions touristiques de Halley, jusqu'à ce que le capitaine y mette bon ordre. Quelqu'un (personne ne revendiqua ce douteux honneur) s'était aperçu qu'il était possible d'y *marcher* tout à fait normalement, la pellicule de surface étant juste assez collante pour maintenir le pied en place, comme si l'on était sur la Terre. Bientôt, presque tout l'équipage voulut se faire vidéographier en train de marcher apparemment sur l'eau.

Mais lorsque le capitaine Smith examina son sas et s'aperçut qu'il était tout couvert de goudron, il se laissa aller à une manifestation de colère assez étonnante chez lui.

— C'est déjà exaspérant, gronda-t-il entre ses dents serrées, d'avoir tout l'extérieur du vaisseau couvert de... de suie ! La comète de Halley est bien l'endroit le plus dégoûtant que j'aie jamais vu !

Ainsi prirent fin les promenades sur le lac Tuonela.

19. AU BOUT DU TUNNEL

DANS UN PETIT UNIVERS FERMÉ OÙ TOUT LE MONDE SE connaît, le plus grand choc ne peut provenir que de la rencontre d'un inconnu.

Heywood Floyd flottait tranquillement le long du couloir menant au salon principal quand précisément cet incident déconcertant lui arriva. Il regarda avec stupeur l'intrus, en se demandant comment un passager clandestin avait pu échapper si longtemps à la détection. L'autre soutenait son regard avec un mélange de gêne et de fanfaronnade, attendant manifestement que Floyd parle le premier.

— Ma parole, Victor ! s'exclama enfin Floyd. Excusez-moi mais je ne vous avais pas reconnu. Ainsi, vous avez fait le sacrifice suprême pour la cause de la science, ou devrais-je dire pour votre public ?

— Oui, marmonna Willis de mauvaise humeur. J'avais réussi à me glisser dans un casque, mais mes fichus poils faisaient un tel bruit de grattement que personne n'entendait un mot de ce que je disais.

— Quand allez-vous sortir ?

— Dès que Cliff sera revenu. Il est parti faire le spéléo avec Bill Chant.

Les premiers survols de la comète, en 1986, avaient permis de découvrir qu'elle était considérablement moins dense que l'eau, ce qui signifiait forcément qu'elle était faite d'une matière extrêmement poreuse ou bien qu'elle était criblée de cavités. La suite révéla que les deux explications étaient exactes.

Au début, le capitaine Smith, toujours prudent, interdit formellement toute exploration de grottes. Il finit par se laisser fléchir quand le Pr Pendrill lui rappela que son principal assistant, le Pr Chant, était un spéléologue expérimenté ; c'était d'ailleurs une des raisons qui l'avaient fait choisir pour cette mission.

— Les effondrements sont impossibles dans cette basse gravité, affirma Pendrill au capitaine récalcitrant. Il n'y a donc aucun danger d'être enseveli.

— Vous pourriez vous perdre.

— Chant considérerait ce propos comme une insulte professionnelle. Il a parcouru vingt kilomètres à l'intérieur de Mammoth Cave, en Amérique. Et puis d'ailleurs, il aura un fil d'Ariane, une corde-guide.

— Les communications ?

— La corde-guide est équipée de fibres optiques. Et la radio de combinaison fonctionnera probablement pendant tout le parcours.

— Hum. Où veut-il descendre ?

— L'endroit le plus favorable est ce geyser tari à la base d'Etna Junior. Il est mort depuis au moins mille ans.

— Alors je suppose qu'il restera tranquille encore un jour ou deux. Très bien. Est-ce que d'autres veulent y aller ?

— Cliff Greenberg s'est porté volontaire. Il a fait beaucoup d'explorations de grottes sous-marines aux Bahamas.

— Je m'y suis essayé aussi. Une fois m'a suffi. Dites à Cliff qu'il est bien trop précieux. Il peut l'accompagner mais rester là où il peut encore voir l'entrée, pas plus loin. Et s'il perd le contact avec Chant, il ne doit pas aller à sa recherche sans mon autorisation.

Ce que, pensa le capitaine, je n'accorderai certainement pas à la légère.

Le Pr Chant connaissait tous les vieux refrains sur le prétendu désir des spéléologues de retrouver en réalité le ventre de leur mère mais savait comment les réfuter.

— L'utérus doit être terriblement bruyant, avec tous ses battements, ces gargouillis et ces borborygmes, disait-il. J'adore les grottes parce qu'elles sont paisibles et au-delà du temps. On sait que rien n'y a changé depuis cent mille ans, à part l'épaisseur des stalactites.

Mais à présent, alors qu'il s'enfonçait au cœur de la comète, en déroulant le fil mince mais pratiquement incassable qui le reliait à Clifford Greenberg, il se rendait compte que ce dernier argument ne tenait pas. Il n'en avait encore aucune preuve scientifique, mais son instinct de géologue lui disait que ce monde souterrain était né d'hier seulement, à l'échelle de l'univers. La grotte était plus jeune que certaines villes de l'Homme.

Le tunnel dans lequel il s'était engagé, par longs bonds souples, avait environ quatre mètres de diamètre et l'apesanteur lui rappelait des souvenirs de plongées dans des grottes marines, sur la Terre. La basse gravité contribuait à l'illusion ; c'était exactement comme s'il s'était un peu trop lesté et coulait doucement vers le fond. Seule l'absence de toute résistance lui rappelait qu'il se déplaçait dans le vide, pas dans de l'eau.

— Je commence à vous perdre de vue, annonça Greenberg, à cinquante mètres de l'entrée. La liaison radio est encore parfaite. A quoi ressemble le paysage ?

— Très difficile à dire. Je ne puis identifier aucune formation, alors je n'ai pas de vocabulaire pour le décrire. Ce n'est pas une roche, ça s'effrite quand je le touche, j'ai l'impression d'explorer l'intérieur d'un gigantesque fromage de gruyère...

— Vous voulez dire qu'il s'agit de matières organiques ?

— Oui. Rien à voir avec la vie, naturellement, mais tous les éléments sont réunis. Toutes sortes d'hydrocarbones, les chimistes vont se régaler avec ces échantillons. Est-ce que vous me voyez encore ?

— Seulement la lueur de votre torche, et elle s'estompe vite.

— Ah... Voilà de la roche authentique... Paraît déplacée, ici. Probablement une intrusion. Ah... Je suis tombé sur un filon d'or !

— Vous plaisantez !

— Ça a trompé bien des gogos, au Far-West d'autrefois. Des pyrites de fer. Assez courantes sur les satellites extérieurs, bien sûr, mais ne me demandez pas ce que ça fait ici...

— Contact visuel perdu. Vous êtes à deux cents mètres.

— Je traverse une couche distincte... On dirait des débris météoriques. Quelque chose de passionnant a dû se passer ici il y a... j'espère que nous pourrons le dater. *Ah !*

— Ne me faites pas sursauter comme ça !

— Pardon, mais ça m'a coupé le souffle. Me voilà dans une grande salle, la dernière chose à laquelle je m'attendais. Un instant, que j'éclaire... Presque sphérique, trente, quarante mètres de diamètre. Et... je ne peux pas y croire... Halley est pleine de surprises... Des stalactites, des stalagmites !

— Qu'est-ce qu'elles ont de si surprenant ?

— Pas d'eau courante, pas de chaux, ici, naturellement... et si peu de gravité. On dirait une espèce de cire. Attendez une minute, que j'obtienne un bon champ vidéo. Des formes fantastiques... comme des écoulements de cire sur une bougie... C'est bizarre...

— Quoi encore ?

La voix du Pr Chant s'était subitement altérée, une variation de ton que Greenberg avait immédiatement décelée.

— Certaines des colonnes ont été brisées. Elles sont couchées sur le sol. Presque comme si...

— Oui ? Quoi ?

— Comme si quelque chose s'était... jeté contre elles.

101

— C'est de la folie. Est-ce qu'un séisme aurait pu se produire ?

— Pas de véritable séisme, rien que les microséismes des geysers. Il y a peut-être eu une grande explosion, à un moment donné. De toute façon, ça s'est passé il y a des siècles. Les colonnes tombées sont couvertes d'une pellicule de cette espèce de cire, épaisse de plusieurs millimètres.

Le Pr Chant se ressaisissait lentement. Ce n'était pas un homme imaginatif — ceux-là sont vite éliminés dans la spéléologie — mais cet endroit déclenchait chez lui un souvenir troublant. Et ces colonnes cassées ressemblaient trop aux barreaux d'une cage, brisés par un monstre tentant de s'évader...

Naturellement, c'était parfaitement absurde, mais le Pr Chant avait appris à ne jamais négliger un pressentiment, un signal de danger, avant d'avoir déterminé l'origine de sa peur. Et il était assez honnête pour reconnaître que « peur » était bien le mot juste.

— Bill ?... Ça va ? Qu'est-ce qui se passe ?

— Je filme toujours. Certaines de ces formations me rappellent des sculptures de temples indiens. Presque érotiques.

Il détournait volontairement son esprit de la cause de son appréhension, dans l'espoir de la surprendre ainsi par une sorte de vision mentale détournée, s'absorbant dans l'action purement mécanique d'enregistrement et de récolte d'échantillons.

Il n'y a rien de répréhensible, raisonnait-il, à la peur saine ; c'est uniquement quand elle se transforme en panique qu'elle devient mortellement dangereuse. Deux fois dans sa vie il avait connu la panique (en montagne et sous l'eau) et frémissait encore au souvenir de sa glaciale étreinte. Toutefois — heureusement — il en était loin à présent, et pour une raison qu'il percevait, sans la saisir, curieusement rassurante, la situation comportait un élément comique.

Et, bientôt, il se mit à rire, non pas nerveusement mais avec soulagement.

— Est-ce qu'il vous est arrivé de voir un de ces vieux films de *La Guerre des Étoiles* ? demanda-t-il à Greenberg.

— Naturellement. Au moins six fois.

— Eh bien, je sais ce qui me turlupine depuis tout à l'heure. Il y a une séquence où le vaisseau spatial de Luke plonge dans un astéroïde et tombe sur une gigantesque créature reptilienne qui se cache à l'intérieur des grottes.

— Non, pas le vaisseau de Luke. Le *Millenium Falcon* de Han Solo. Et je me suis toujours demandé de quoi cette pauvre bête vivait. Elle devait crever de faim, en attendant que de temps en temps un petit hors-d'œuvre lui arrive de l'espace. La princesse Leia n'aurait même été qu'un amuse-gueule.

— Ce que je n'ai certainement pas l'intention d'être, déclara le Pr Chant, maintenant tout à fait à l'aise. Même s'il y a de la vie ici, ce qui serait merveilleux, la chaîne alimentaire serait extrêmement courte et je serais étonné de trouver quelque chose de plus gros qu'une souris. Ou, plus vraisemblablement, qu'un champignon... Bon, voyons un peu... où vais-je aller, d'ici ?... Il y a deux issues de l'autre côté de cette salle. Celle de droite est plus grande. Je vais passer par là...

— Combien de fil vous reste-t-il ?

— Oh, cinq cents mètres, au moins. Allons-y... Je suis au milieu de la salle... Zut ! J'ai rebondi contre la paroi. Là, maintenant j'ai un point d'appui... J'y vais la tête la première. Parois lisses, roche véritable pour changer... Ah, c'est dommage...

— Où est le problème ?

— Peux pas aller plus loin. Encore des stalactites... trop rapprochées pour que je passe entre elles, et trop grosses pour être cassées sans explosifs. Ce serait d'ailleurs malheureux... les couleurs sont magnifiques, les premiers véritables bleus et verts que je vois sur Halley. Plus qu'une minute, le temps de les prendre en vidéo...

Le Pr Chant se cala contre la paroi de l'étroit souterrain et pointa sa caméra. De ses doigts gantés, il chercha le bouton de haute intensité mais le manqua et éteignit le projecteur.

— Foutue caméra, grommela-t-il. C'est la troisième fois que ça m'arrive.

Il ne rectifia pas immédiatement sa fausse manœuvre car il avait toujours aimé le silence et l'obscurité qu'on ne rencontre que dans les grottes les plus profondes. Le léger bourdonnement de son équipement de survie le privait du silence total mais au moins...

... qu'est-ce que c'était que ça ? Au-delà de la herse de stalactites bloquant son passage, il distinguait une faible lueur, semblable à la première clarté de l'aube. À mesure que ses yeux s'adaptaient aux ténèbres, la lueur parut devenir plus vive et il y détecta un soupçon de vert. Il voyait même le contour de la barrière, devant lui...

— Qu'est-ce qui se passe ? demanda anxieusement Greenberg.

— Rien... rien. J'observe.

Et je réfléchis, aurait-il pu ajouter. Il y avait quatre explications possibles.

De la lumière solaire pouvait filtrer à travers quelque conduit naturel... glace, cristal, quoi que ce fût. Mais à cette profondeur ? Guère plausible...

De la radio-activité ? Il ne s'était pas embarrassé d'un compteur ; il n'y avait pratiquement pas d'éléments lourds, par là. Mais cela vaudrait la peine de revenir voir.

Un minerai phosphorescent ? Ce serait sur cette explication qu'il miserait.

Mais il y en avait une quatrième, la plus improbable, la plus passionnante de toutes.

Le Pr Chant n'avait jamais oublié une nuit sans Lune — et sans Lucifer — au bord de l'océan Indien. Il marchait sur une plage de sable, sous un ciel étincelant d'étoiles. La mer était très calme mais, de temps en temps, une vague paresseuse venait se briser à ses pieds... dans une explosion lumineuse.

Il s'était avancé dans l'eau (il sentait encore sa caresse autour de ses chevilles, comme un bain tiède). À chaque pas, il déclenchait une nouvelle explosion de lumière. Il pouvait même la provoquer en tapant dans ses mains près de la surface.

Est-ce que des organismes luminescents semblables auraient évolué là, au cœur de la comète de Halley ? Il aurait aimé pouvoir le croire. C'était dommage de détruire comme un vandale quelque chose d'aussi exquis que cette œuvre d'art naturelle — avec cette lueur derrière, la barrière lui rappelait un écran d'autel qu'il avait vu une fois, dans une cathédrale — mais il lui faudrait revenir avec des explosifs. En attendant, il y avait l'autre corridor...

— Je ne peux pas aller plus loin, par ce chemin, dit-il à Greenberg. Alors je vais essayer l'autre. Je reviens sur mes pas jusqu'à la fourche, je règle mon fil sur le rembobinage.

Il ne mentionna pas la mystérieuse lueur, qui avait disparu dès qu'il avait rallumé son projecteur.

Greenberg ne répondit pas, ce qui était insolite. Mais Chant ne s'inquiéta pas, se disant simplement qu'il devait parler avec le vaisseau. En effet, Greenberg lui répondit à retardement.

— Ah très bien, Cliff, je croyais vous avoir perdu, là, pendant une minute. Je suis de retour dans la salle... Je m'engage maintenant dans l'autre passage. J'espère que celui-là ne sera pas bloqué...

Mais cette fois, Greenberg répliqua instantanément :

— Désolé, Bill. Revenez au vaisseau. Il y a eu un accident... Non, pas ici, tout va bien pour *Univers*. Mais nous devrons peut-être retourner sur Terre de toute urgence.

Au bout de quelques semaines, le Pr Chant trouva une explication très plausible aux colonnes brisées. La comète perdant un peu plus de substance dans l'espace à chacune de ses révolutions, la distribution de sa masse se modifiait continuellement. Ainsi, tous les quelques milliers d'années, son orbite se trouvait déstabilisée et changeait d'axe, très violemment, comme une toupie sur le point de tomber. Le tremblement de comète qui en résultait devait atteindre un respectable 5 sur l'échelle de Richter.

Mais il ne résolut jamais le problème de la luminosité.

Cette question se trouva rapidement chassée de son esprit par le drame qui survint subitement, mais la sensation d'une occasion perdue ne le quitta jamais.

Bien qu'il en eût parfois la tentation, il n'en parla à aucun de ses confrères, mais il laissa tout de même une note cachetée destinée à l'expédition suivante, à n'ouvrir qu'en 2133.

20. RAPPEL

— Vous avez vu Victor ? demanda joyeusement Mihai-lovitch alors que Floyd se dépêchait de répondre à la convocation du capitaine. C'est un homme brisé.

— Elle repoussera sur le chemin du retour, répliqua sèchement Floyd qui n'avait que faire de ces futilités. Il y a des choses plus importantes !

Lorsque Floyd entra, le capitaine Smith était assis, presque prostré, dans sa cabine. Si c'eût été son propre vaisseau qui avait été victime d'un tel accident, il se serait mué en tornade d'énergie contrôlée, il aurait lancé des ordres à droite et à gauche. Mais là, il ne pouvait rien faire, sinon attendre le prochain message de la Terre.

Le capitaine Laplace était un vieil ami ; comment avait-il pu se plonger dans un tel pétrin ? Aucun accident concevable, aucune erreur de navigation, aucune panne ne pouvait expliquer une aussi fâcheuse situation. Smith ne voyait pas du tout, non plus, comment *Univers* pourrait l'aider à s'en sortir. Le Centre d'opérations tournait également en rond ;

c'était apparemment un de ces cas malheureux, bien trop courants dans l'espace, où on ne peut rien faire, à part transmettre des condoléances et enregistrer les derniers messages. Mais il ne laissa percer aucun de ses doutes et de ses réserves quand il rapporta la nouvelle à Floyd.

— Nous avons reçu l'ordre de retourner immédiatement sur la Terre, pour être équipés en vue d'une mission de sauvetage. Un accident a eu lieu, annonça-t-il.

— Quel genre d'accident ?

— C'est notre vaisseau jumeau, *Galaxy*. Il effectuait une mission d'observation des satellites jupitériens. Et il a été contraint à un atterrissage forcé, il s'est crashé.

Le capitaine lut l'incrédulité et la stupeur sur le visage de Floyd et insista :

— Oui, je sais que c'est impossible, mais vous n'avez encore rien entendu. Ils sont naufragés... sur Europe.

— Europe !

— Hélas oui. Le vaisseau est endommagé mais il n'y a apparemment pas de victimes. Nous attendons encore les détails.

— Quand est-ce arrivé ?

— Il y a douze heures. Il a fallu du temps avant qu'ils puissent se mettre en rapport avec Ganymède.

— Mais qu'y pouvons-nous ? Nous sommes à l'autre bout du système solaire ! Retourner sur orbite lunaire pour refaire le plein, prendre l'orbite la plus rapide vers Jupiter ça prendrait... oh, deux mois au moins !

(Du temps de *Leonov*, pensa Floyd, il aurait fallu deux ans...)

— Je sais. Mais aucun autre vaisseau ne pourrait intervenir.

— Les navettes intersatellites de Ganymède ?

— Elles ne sont conçues que pour les opérations orbitales.

— Elles se sont posées sur Callisto.

— Une mission exigeant beaucoup moins d'énergie. Oh, elles pourraient bien rejoindre Europe, mais avec un chargement négligeable. On l'a envisagé, naturellement.

Floyd entendait à peine le capitaine ; il essayait encore d'assimiler cette extraordinaire nouvelle. Pour la première fois depuis un demi-siècle — et pour la seconde fois seulement de toute l'Histoire ! —, un vaisseau avait atterri sur la lune interdite. Et une angoissante pensée lui venait à l'esprit.

— Croyez-vous, demanda-t-il, que ce qui... que ce qu'il peut y avoir sur Europe en soit responsable ?

— Je me suis posé la question, répondit gravement le capitaine. Mais depuis des années, nous espionnons cette planète sans qu'il s'y passe rien.

— Plus important encore... Que risque-t-il de nous arriver si nous tentons un sauvetage ?

— C'est aussi la première chose que je me suis demandée. Mais tout cela n'est que de la spéculation, nous devons attendre d'avoir plus de détails. En fait — et c'est pour ça que je vous ai fait venir —, je viens de recevoir le rôle d'équipage de *Galaxy* et...

D'un geste hésitant, il poussa l'imprimante sur son bureau. Mais avant même de la parcourir, Heywood Floyd devina ce qu'il allait y trouver.

— Mon petit-fils, dit-il d'une voix blanche.

Et, pensa-t-il, la seule personne qui puisse perpétuer mon nom au-delà du tombeau.

III. Roulette europienne

21. LA POLITIQUE DE L'EXIL

EN DÉPIT DE TOUTES LES SOMBRES PRÉDICTIONS QU'ELLE
avait suscitées, la révolution sud-africaine avait été relativement peu sanglante. La télévision, accusée par ailleurs de
bien des maux, y était pour beaucoup. Un précédent avait
été établi une génération plus tôt aux Philippines ; quand ils
savent que le monde entier les observe, la plupart des
hommes et des femmes sont enclins à se conduire d'une
manière responsable. Il peut se produire quelques honteuses
exceptions, mais peu de massacres ont lieu sous l'œil des
caméras.

La plupart des Afrikaners, face à l'inévitable, avaient
quitté le pays longtemps avant la prise de possession du
pouvoir. Et — comme ne cessait de s'en plaindre le nouveau
gouvernement —, ils n'étaient pas partis les mains vides.
Des milliards de rands avaient été virés dans des banques
suisses et hollandaises ; vers la fin, de mystérieux vols partaient presque toutes les heures du Cap et de Johannesburg
à destination de Zurich et d'Amsterdam. On disait qu'au

Jour de la Liberté il était impossible de trouver une once d'or ou un carat de diamant dans la défunte république d'Afrique du Sud, et les mines avaient été efficacement sabotées. Un réfugié éminent se vanta, dans son luxueux appartement de La Haye, qu'il « faudrait cinq ans avant que les Cafres remettent Kimberley en état de marche, si jamais ils y parviennent ». À sa profonde surprise, la De Beers se remit à faire des affaires, sous un nouveau nom et avec une nouvelle direction, en cinq semaines, pas davantage, et les diamants devinrent aussitôt le plus important élément de l'économie nationale.

En une génération, les plus jeunes réfugiés furent absorbés — malgré des actions désespérées d'arrière-garde de leurs aînés conservateurs — par la culture déracinée du XXIᵉ siècle. Ils rappelaient, avec fierté mais sans fanfaronnade, le courage et la détermination de leurs ancêtres mais n'hésitaient pas à critiquer leur stupide comportement. Pratiquement aucun ne parlait plus l'afrikaan, même en famille.

Cependant, comme cela s'était produit lors de la révolution russe un siècle plus tôt, nombreux étaient ceux qui rêvaient encore de retarder la pendule ou, tout au moins, de saboter les efforts de ceux qui avaient usurpé leur pouvoir et leur privilèges. En général, leur frustration et leur amertume se traduisaient en tracts, en manifestations, boycotts et pétitions au Conseil mondial ou, plus rarement, se manifestaient dans l'art. L'ouvrage de Wilhelm Smuts, *The Voortrekers*, était reconnu (ironiquement) comme un chef-d'œuvre de la littérature anglaise, même par ceux qui contestaient amèrement l'auteur.

Mais il existait aussi des groupes qui estimaient inutile toute action politique et pensaient que seule la violence restaurerait le *statu quo* tant espéré. Rares sans doute étaient ceux qui s'imaginaient capables de récrire l'Histoire mais beaucoup se seraient volontiers contentés, si la victoire était impossible, de la revanche.

Entre les deux extrêmes, les totalement-assimilés et les complètement-intransigeants, s'étalait toute une gamme de partis politiques et apolitiques. Der Bund n'était pas le plus important mais certainement le plus puissant politiquement et financièrement, car il contrôlait une grande partie des richesses, escamotées en fraude, de la république perdue, au moyen de tout un réseau de sociétés et de holdings, la plupart parfaitement légaux et éminemment respectables.

Un demi-milliard d'argent du Bund était investi dans Tsung Aerospace et figurait dans le bilan annuel. En 2059, Sir Lawrence fut heureux de recevoir un autre demi-milliard, ce qui lui permit d'accélérer la construction de sa petite flotte.

Mais son excellent service de renseignement lui-même avait été incapable de déceler un rapport entre le Bund et la dernière mission charter de *Galaxy*. D'ailleurs, Halley s'approchait maintenant de Mars et Sir Lawrence était tellement préoccupé par la nécessité de respecter la date de départ d'*Univers*, qu'il ne prêtait guère attention aux opérations de routine de ses vaisseaux jumeaux.

La Lloyds de Londres souleva bien quelques objections sur la route proposée par *Galaxy* mais elles furent vite rejetées. Le Bund avait des agents partout, à des positions clefs, ce qui était malheureux pour les assureurs mais heureux pour les avocats de l'espace.

22. CARGAISON HASARDEUSE

Il n'est pas facile de diriger une compagnie spatiale avec des lieux de destination dont la position varie tous les jours de millions de kilomètres et même toutes les secondes de dizaines de kilomètres. Suggérer un horaire régulier est hors de question ; il y a des moments où l'on doit renoncer à toute l'entreprise et rester au port, ou du moins en orbite, en attendant que le système solaire se réorganise pour la plus grande commodité de l'humanité.

Heureusement, ces moments sont prévisibles plusieurs années à l'avance ; il est donc possible de les utiliser au mieux, pour les révisions, les réparations et les permissions des équipages. Et à l'occasion, avec un peu de chance et une campagne de publicité agressive, on peut organiser quelques vols de charters locaux, sur le modèle des anciens « tours de la baie » en bateau.

Le capitaine Éric Laplace avait été enchanté que le relâchement de trois mois prévu au large de Ganymède ne constiuât pas une perte sèche. Une subvention anonyme et

116

inattendue à la Fondation scientifique planétaire allait financer une reconnaissance du système de satellites jupitérien (même maintenant, personne ne l'appelait luciférien), avec une attention particulière pour une douzaine des plus petites lunes négligées. Certaines n'avaient même jamais été convenablement étudiées, encore moins visitées.

Dès qu'il eut connaissance de la mission, Rolf Van der Berg appela l'agent de la compagnie Tsung pour se renseigner discrètement.

— Oui, nous nous dirigerons d'abord vers Io, et puis nous opérerons un survol d'Europe...

— Seulement un survol ? A quelle distance ?

— Un instant... Bizarre, le plan de vol ne donne pas de détails. Mais naturellement, nous ne pénétrerons pas dans la zone d'interdiction.

— Qui était réduite à dix mille kilomètres, aux dernières conventions, il y a quinze ans. Bref, j'aimerais me porter volontaire comme planétologue de la mission. Je vais vous envoyer mon curriculum...

— Inutile, professeur. On vous a déjà désigné.

C'est toujours plus facile d'y voir clair après l'événement et quand il se reportait en arrière (il en eut amplement le temps plus tard), le capitaine Laplace ne pouvait manquer de relever certains détails curieux à propos de ce charter. D'abord, deux membres de l'équipage étaient subitement tombés malades et avaient dû être remplacés au dernier moment ; il était si heureux de trouver des remplaçants qu'il n'avait pas vérifié leurs papiers aussi attentivement qu'il l'aurait dû. Même s'il l'avait fait d'ailleurs, il aurait découvert que ces papiers étaient parfaitement en règle.

Et puis il y avait eu des ennuis avec la cargaison. En qualité de capitaine, il avait le droit d'inspecter tout ce qui était transporté à son bord. Naturellement, il était impossible de vérifier chaque article mais il n'avait jamais hésité à enquêter s'il avait le moindre doute. Les équipages de l'espace étaient, dans l'ensemble, formés d'hommes très responsables ; mais les longues missions sont souvent ennuyeuses et certains étaient tentés de compenser l'ennui par des palliatifs chimiques qui — tout en étant parfaitement licites sur la Terre — sont interdits dans l'espace.

Quand le second du bord, Chris Floyd, fit part de ses soupçons, le capitaine pensa donc tout d'abord que le renifleur chromatographique du bord avait encore détecté une cache d'opium de haute qualité, que consommait à l'occasion son équipage en majorité chinois. Mais cette fois, l'affaire était plus grave. Très grave.

— Soute Trois, article 2/456, capitaine. « Matériel scientifique », d'après le manifeste. Il contient des explosifs.

— Quoi !

— Indiscutablement, capitaine. Voici l'électogramme.

— Je vous crois sur parole, monsieur Floyd. Avez-vous examiné l'article en question ?

— Non, capitaine. C'est dans une caisse scellée, de cinquante centimètres sur un mètre et sur cinq, approximativement. Un des plus gros colis que l'équipage scientifique ait apportés à bord. Il est marqué « Fragile, à manier avec précaution ». Mais toutes les autres caisses aussi, naturellement.

Le capitaine Laplace pianota distraitement sur le « bois » en plastique grainé de son bureau. (Il avait horreur de cette imitation et comptait bien s'en débarrasser à la prochaine occasion.) Ce petit geste suffit à le soulever de son siège et il s'ancra automatiquement en enroulant une jambe autour du pied de son fauteuil.

Il ne doutait pas un instant du rapport de Floyd (son nouveau second était très compétent et le capitaine lui était reconnaissant de ne jamais parler de son célèbre grand-père) mais il pouvait y avoir une explication innocente. Le renifleur avait pu être trompé par des substances chimiques moléculairement proches.

Ils pouvaient naturellement descendre dans la cale et forcer la caisse. Non... cela risquait d'être dangereux et poserait aussi des problèmes juridiques. Le mieux, c'était de s'adresser directement au sommet ; d'ailleurs, ils y seraient forcés, tôt ou tard.

— Faites venir ici le Pr Anderson, s'il vous plaît. Et ne parlez de cet incident à personne d'autre.

— Entendu, capitaine.

Chris Floyd fit un salut respectueux mais tout à fait superflu et sortit de la cabine dans une glissade souple et aisée.

Le chef de l'équipe scientifique, lui, n'était pas habitué à l'apesanteur et son entrée fut très maladroite. Sa sincère indignation n'arrangeait rien et il dut plusieurs fois se raccrocher au bureau du capitaine d'une manière dépourvue de dignité.

— Des explosifs ! Jamais de la vie ! Montrez-moi ce manifeste... 2/456...

Le Pr Anderson reporta la référence sur son clavier portatif et lut lentement la réponse :

— « Pénétromètres Mark V. Quantité : Trois. » Naturellement. Pas de problème.

— Qu'est-ce, au juste, qu'un pénétromètre ? demanda le capitaine qui, malgré son inquiétude, ne put réprimer un sourire car le mot lui paraissait vaguement obscène.

— Appareil standard d'échantillonnage planétaire. On le lâche et, avec un peu de chance, il ramène une carotte allant jusqu'à dix mètres de long, même dans la roche dure. Et puis il en fait une analyse chimique complète. C'est le seul moyen sûr d'étudier des endroits comme la face diurne de Mercure, ou d'Io où nous lâcherons le premier.

— Professeur Anderson, dit le capitaine avec une grande retenue, vous êtes sans aucun doute un excellent géologue, mais vous ne savez pas grand-chose de la mécanique céleste. On ne peut pas simplement lâcher des objets d'une orbite...

L'accusation d'ignorance était sans fondement, comme le prouva la réaction du savant.

— Les imbéciles ! s'écria-t-il. Naturellement, vous auriez dû être prévenu !

— Précisément. Les fusées à carburant solide sont classées cargaison hasardeuse. Je veux une décharge des assureurs et votre assurance personnelle que les systèmes de sécurité sont adéquats ; autrement, vos appareils passeront

119

par-dessus bord. Et maintenant, y a-t-il d'autres surprises ? Avez-vous l'intention de procéder à des observations sismiques ? Je crois qu'elles exigent habituellement des explosifs...

Quelques heures plus tard, le savant quelque peu contrit avoua qu'il avait trouvé aussi deux bouteilles de fluorine élémentaire, employée pour actionner les lasers capables de zapper au passage des corps célestes à des portées de mille kilomètres, pour échantillonnage spectrographique. Comme la fluorine pure était la substance probablement la plus dangereuse connue de l'humanité, elle figurait en tête de la liste des matériaux interdits mais, de même que les fusées propulsant les pénétromètres vers leur objectif, elle était essentielle à la mission.

Quand il eut reçu l'assurance que toutes les précautions nécessaires avaient été prises, le capitaine Laplace accepta les excuses du savant confus de cette négligence uniquement due à la précipitation avec laquelle l'expédition avait été organisée.

Il était sûr que le Pr Anderson disait la vérité mais il avait déjà le sentiment de quelque chose d'anormal dans cette mission.

À quel point c'était anormal, il était incapable de l'imaginer !

23. L'ENFER

AVANT L'EXPLOSION DE JUPITER, IO VENAIT JUSTE DERRIÈRE Vénus comme configuration de l'enfer dans le système solaire. Mais maintenant que Lucifer avait haussé sa température en surface de quelque deux cents degrés, Vénus elle-même ne pouvait plus rivaliser.

Les volcans et geysers sulfureux sans cesse en activité reformaient constamment la topographie du satellite tourmenté. Les planétologues avaient renoncé à toute tentative de cartographie, se contentant de prendre des photos orbitales, tous les quelques jours. Grâce à ces clichés, ils avaient reconstitué d'impressionnants films au ralenti de l'enfer en action.

Les Lloyds de Londres avaient fixé un tarif énorme pour assurer cette partie de la mission, mais Io ne présentait en fait aucun danger pour un vaisseau effectuant un survol à une portée minimale de dix mille kilomètres, et d'autant plus au-dessus de la face nocturne relativement calme.

En regardant s'approcher le globe jaune et orangé, l'objet

le plus invraisemblablement flamboyant du système solaire, le lieutenant Chris Floyd ne put s'empêcher de songer à l'époque, il y avait un demi-siècle, où son grand-père était passé par là. C'était là que *Leonov* avait rejoint le *Discovery* abandonné et là que le Pr Chandra avait réveillé l'ordinateur dormant Hal. Ensuite, les deux vaisseaux étaient partis observer l'énorme monolithe noir planant à L1, le point de Lagrange situé entre Io et Jupiter.

Maintenant, le monolithe avait disparu et Jupiter aussi. Le mini-soleil qui s'était élevé comme un phénix après l'implosion de la planète géante avait transformé ses satellites en un nouveau système solaire, en quelque sorte, mais c'était seulement sur Ganymède et Europe que la température était plus ou moins terrestre. Pour combien de temps, nul ne le savait. Les estimations de la durée d'existence de Lucifer allaient de mille à un million d'années.

L'équipe scientifique de *Galaxy* contempla avec nostalgie le point L1 mais il était désormais bien trop dangereux de s'en approcher. Il y avait toujours eu un fleuve d'énergie électrique — le « tube de flux » d'Io — coulant entre Jupiter et son satellite intérieur et la création de Lucifer avait fait centupler plusieurs fois sa force. Parfois, le flot d'énergie pouvait même se voir à l'œil nu, étincelant de jaune avec la caractéristique luminosité du sodium ionisé. Quelques ingénieurs de Ganymède parlaient parfois de puiser à cette source de gigawatts qui se perdaient si près de chez eux, mais personne ne pouvait imaginer de moyen plausible de le faire.

Le premier pénétromètre fut lancé, salué par quelques réflexions vulgaires de l'équipage, et deux heures plus tard il s'enfonça comme l'aiguille d'une seringue dans le satellite purulent. Il continua de fonctionner pendant cinq secondes — dix fois son existence prévue — en diffusant des milliers de mesures chimiques, physiques et rhéologiques avant qu'Io le détruise.

Les savants exultèrent. Van der Berg était simplement satisfait. Il s'attendait à ce que la sonde fonctionne ; Io était un objectif ridiculement facile. Mais s'il ne se trompait pas à propos d'Europe, le second pénétromètre échouerait certainement.

Cela ne prouverait pourtant rien ; il pourrait échouer pour une dizaine de bonnes raisons. Et, à ce moment, il n'y aurait d'autre choix que l'atterrissage.

Ce qui, naturellement, était formellement interdit... et pas seulement par les lois humaines.

24. SHAKA LE GRAND

ASTROPOL — QUI MALGRÉ SON AMBITIEUSE DÉNOMINATION ne jouait pas un rôle très important en dehors de la Terre — refusait de reconnaître l'existence du Shaka. Les USSA adoptaient exactement la même position et leurs diplomates se montraient embarrassés ou indignés quand on avait l'insolence de prononcer ce nom.

Mais la troisième loi de Newton s'appliquait en politique, comme à tout le reste. Le Bund avait ses extrémistes — qu'il tentait de temps en temps, sans grande conviction, de désavouer — inlassablement occupés à comploter contre les USSA. En général, leur action se limitait au sabotage commercial mais ils n'hésitaient pas à recourir aux enlèvements et même aux attentats.

Inutile de dire que les Sud-Africains ne prenaient pas cela à la légère. Ils avaient réagi en créant leurs propres services officiels de contre-espionnage, aux activités très diversifiées et qui, eux aussi, proclamaient « ne rien savoir » du Shaka.

Peut-être utilisaient-ils la commode formule de la CIA du « démenti plausible ». Peut-être aussi disaient-ils la vérité.

Selon certains, Shaka avait débuté comme nom de code, et avait ensuite — comme le « Lieutenant Kije » de Prokofief — acquis une existence propre, parce que utile à diverses administrations clandestines. Cela expliquait en tout cas le fait qu'aucun de ses membres n'eût jamais trahi ou été arrêté.

Mais il y avait une autre explication à cela, quelque peu tirée par les cheveux, proposée par ceux qui croyaient à la réalité du Shaka. Tous ses agents auraient été psychologiquement conditionnés pour s'autodétruire avant toute possibilité d'interrogatoire.

Quoi qu'il en soit, personne ne pouvait sérieusement imaginer que, deux siècles après sa mort, la légende du grand tyran zoulou allait projeter son ombre sur des mondes qu'il n'avait jamais connus.

25. LE MONDE VOILÉ

Au cours des dix ans qui avaient suivi l'explosion de Jupiter et le dégel de ses satellites, personne ne s'était occupé d'Europe. Et puis les Chinois en avaient effectué un rapide survol, sondant les nuages au radar pour tenter de retrouver l'épave du *Tsien*. Ils avaient échoué mais leurs cartes de la face diurne furent les premières à indiquer l'emplacement des nouveaux continents qui émergeaient à mesure que la couverture de glace fondait.

C'étaient également eux qui avaient découvert une ligne droite de deux kilomètres qui avait l'air si artificielle qu'ils l'avaient baptisée la Grande Muraille. À cause de sa forme et de sa taille, on supposait que c'était l'un des monolithes, ou *un* monolithe, puisque des millions avaient été reproduits dans les heures précédant la création de Lucifer.

Ce survol ne provoqua pas la moindre réaction, le moindre signe interprétable au-dessous des nuages de plus en plus épais. Quelques années plus tard, en conséquence, des satellites d'observation furent placés en orbite permanente autour d'Europe et des ballons de haute altitude lâchés dans l'atmosphère pour étudier le schéma de ses vents. Les météorologues terrestres s'y intéressèrent vivement parce qu'Europe — avec son océan central et un soleil qui ne se couchait jamais — présentait un modèle remarquablement simple pour leurs manuels.

Ainsi avait débuté le jeu de la «roulette europienne», comme l'appelaient les administrateurs inquiets chaque fois que les savants proposaient de se rapprocher du satellite. Après cinquante ans sans incidents, le jeu devenait quelque peu lassant. Le capitaine Laplace espérait qu'il n'y aurait cette fois pas davantage de conséquences et il exigea du Pr Anderson les promesses les plus solennelles.

— Personnellement, dit-il au savant, je n'apprécierais guère de recevoir une tonne de ferraille perceuse à mille à l'heure. Je suis très étonné que le Conseil mondial vous ait donné son autorisation.

Le Pr Anderson en avait été un peu surpris, lui aussi, mais sans doute aurait-il compris s'il avait su que son projet était le dernier article de la liste d'une sous-commission scientifique, à la fin d'un vendredi après-midi à l'emploi du temps surchargé. L'Histoire est ainsi faite de petits détails.

— Je suis entièrement d'accord, capitaine, mais nous opérons dans le cadre de limites très strictes et il n'y a aucun risque de déranger les... euh, les Europiens, quels qu'ils soient. Nous visons un objectif situé à cinq mille mètres au-dessus du niveau de la mer.

— C'est ce qu'on m'a dit. Qu'a-t-il de si intéressant le mont Zeus ?

— Cette montagne est un mystère absolu. Elle n'existait même pas il y a quelques années. Alors vous comprenez bien qu'elle affole les géologues.

— Et votre gadget va analyser ce mystère, quand il la pénétrera ?

— Exactement. Et — je ne devrais vraiment pas vous dire ça — on m'a prié de garder les résultats secrets et de les transmettre sur Terre en code. Il est évident que quelqu'un est sur la piste d'une découverte importante et veut s'assurer qu'il ne s'en fera pas souffler l'honneur. Auriez-vous imaginé que des savants puissent être aussi mesquins ?

Le capitaine Laplace l'imaginait sans peine mais il ne voulut pas désillusionner son passager. Le Pr Anderson lui paraissait d'une naïveté touchante ; quoi qu'il se passât — et le capitaine était maintenant bien certain que cette mission était moins innocente qu'elle le paraissait —, Anderson n'était pas au courant.

— J'espère simplement, professeur, que les Europiens ne sont pas des alpinistes enthousiastes. Je serai désolé d'interrompre toute tentative de planter un drapeau sur leur Everest local.

L'ambiance était inhabituellement tendue à bord de *Galaxy* quand le pénétromètre fut lancé, et même les plaisanteries salaces s'étaient faites plus discrètes. Pendant les deux heures que dura la longue chute de la sonde vers Europe, presque tous les membres de l'équipage trouvèrent un prétexte plausible pour se rendre sur la passerelle et observer l'opération de guidage. Un quart d'heure avant l'impact, le capitaine Laplace dut en interdire l'accès, sauf à Rose, la nouvelle hôtesse du bord, qui fournissait inlassablement des bulles d'excellent café sans lesquelles l'opération n'aurait pu se poursuivre.

Tout se passa à la perfection. Bientôt après l'entrée dans l'atmosphère, les freins aériens furent déployés et ralentirent le pénétromètre jusqu'à une vitesse d'impact acceptable. L'image radar de l'objectif — neutre, sans indication d'échelle — grandissait régulièrement sur l'écran. À moins une seconde, tous les enregistreurs se mirent automatiquement en marche à grande vitesse...

... Mais il n'y eut rien à enregistrer.

— Maintenant je sais, dit tristement le Pr Anderson, ce que l'on a éprouvé au Jet Propulsion Laboratory quand les premiers Rangers se sont écrasés sur la Lune, avec leurs caméras aveugles.

26. VEILLE DE NUIT

SEUL LE TEMPS EST UNIVERSEL ; LA NUIT ET LE JOUR NE SONT
que de pittoresques coutumes locales trouvées sur les planètes que les phénomènes de gravitation n'ont pas encore
privées de leur rotation. Mais quelle que soit la distance à
laquelle ils se trouvent de leur monde natal, les êtres
humains ne peuvent échapper au rythme diurne, établi il y a
des âges par le cycle diurne et nocturne de la Terre.

Donc à 1 h 05, Temps Universel, le lieutenant Chang
était seul sur la passerelle, sur le vaisseau endormi. Rien ne
l'obligeait non plus à rester éveillé, puisque les senseurs électroniques de *Galaxy* auraient détecté tout incident bien plus
vite que lui. Mais un siècle de cybernétique avait prouvé
que les êtres humains sont quand même un peu plus habiles
que les machines quand il s'agit de faire face à de l'inattendu et, tôt ou tard, l'inattendu arrive toujours.

Il arrive, ce café ? pensait Chang de mauvaise humeur.
Rose n'était d'habitude jamais en retard. Il se demanda si
elle avait été prise du même malaise qui avait frappé tant les

savants que l'équipage après les désastres des dernières vingt-quatre heures.

À la suite de l'échec du premier pénétromètre, on s'était réuni en catastrophe pour décider de la conduite à adopter. Il restait un autre pénétromètre destiné à Callisto, mais on pouvait aussi bien l'utiliser là.

— D'ailleurs, avait dit le Pr Anderson, nous avons déjà atterri sur Callisto. Il n'y a rien, là-bas, à part quelques variétés de glace pilée.

Tout le monde fut d'accord. Après un délai de douze heures consacré à quelques essais et réglages, le deuxième pénétromètre fut lancé à travers les nuages europiens, sur la piste invisible de son prédécesseur.

Cette fois, les enregistreurs de bord reçurent bien quelques informations, pendant environ une demi-milliseconde. L'accéléromètre de la sonde, calibré pour fonctionner jusqu'à 20 000 G, indiqua une brève impulsion avant de rendre l'âme. Tout dut être détruit en bien moins qu'un clin d'œil.

Après une nouvelle réunion, encore plus sinistre que la première, il fut décidé de transmettre un rapport à la Terre et d'attendre en orbite haute autour d'Europe de nouvelles instructions, avant de partir vers Callisto et les lunes extérieures.

— Désolée d'être en retard, dit Rose McMahon (d'après son nom, jamais on n'aurait deviné sa couleur, légèrement plus foncée que le café qu'elle apportait), mais j'ai dû mal régler mon réveil.

— Heureusement pour nous, répliqua l'officier de quart avec un petit rire, que vous ne pilotez pas le vaisseau.

— Je ne sais même pas comment on le pilote ! Tout m'a l'air si compliqué !

— Non, c'est bien plus simple qu'il n'y paraît, assura Chang. Et puis on a bien dû vous faire un cours de théorie spatiale, lors de votre entraînement, non ?

— Euh... si. Mais je n'y ai jamais rien compris. Les orbites et toutes ces sornettes.

Le lieutenant Chang s'ennuyait et il pensa qu'il serait charitable d'éclairer cette jeune personne. Bien que Rose ne fût pas précisément son type, elle était indiscutablement séduisante ; un petit effort maintenant pourrait se révéler un bon investissement, se dit-il. L'idée ne lui vint même pas que Rose, ayant terminé sa tâche, aurait aimé aller se coucher.

Vingt minutes plus tard, Chang conclut en désignant d'un large geste le pupitre de commandes :

— Donc, vous voyez, presque tout est automatique. On n'a qu'à appuyer sur quelques boutons, le vaisseau se pilote tout seul.

Rose paraissait fatiguée et ne cessait de regarder sa montre.

— Excusez-moi ! s'exclama Chang tout contrit. Je n'aurais pas dû vous retenir.

— Oh non ! c'était très intéressant. Je vous en prie, continuez.

— Il n'en est pas question. Une autre fois, peut-être. Bonne nuit, Rose. Et merci pour le café.

— Bonne nuit, monsieur.

L'hôtesse de troisième classe Rose McMahon glissa (pas très habilement) par la porte encore ouverte. Chang ne se retourna même pas quand il l'entendit se fermer.

Ce fut donc pour lui un choc considérable quand, quelques secondes plus tard, une voix féminine complètement inconnue s'adressa à lui :

— Monsieur Chang... ne prenez pas la peine de toucher au bouton d'alarme, il est débranché. Voici les coordonnées d'atterrissage. Entamez la descente.

Lentement, se demandant si par hasard il n'était pas assoupi en train de faire un cauchemar, Chang pivota dans son siège.

Rose McMahon planait à côté de l'entrée ovale, se retenant au levier de verrouillage de la porte. Mais tout en elle avait changé ; les rôles étaient renversés. La timide hôtesse — qui ne l'avait jamais regardé en face — toisait maintenant Chang d'un regard glacial, impitoyable, qui lui donnait l'impression d'être un lapin hypnotisé par un serpent. Le petit pistolet à l'aspect redoutable qu'elle tenait dans sa main libre avait tout d'un ornement superflu : Chang était absolument certain qu'elle était capable de le tuer très efficacement sans cette arme.

Néanmoins, son amour-propre et son honneur lui interdisaient de capituler sans un semblant de résistance. Ne serait-ce que pour gagner du temps.

— Rose, dit-il, et ses lèvres eurent de la difficulté à articuler un nom soudain devenu inapproprié. Rose, ceci est parfaitement ridicule. Ce que je viens de vous dire, eh bien ce n'est pas vrai. Je suis tout à fait incapable de faire atterrir cet engin tout seul. Il me faudrait des heures pour calculer la bonne orbite et il me faudrait quelqu'un pour m'aider. Un copilote, au moins.

Le pistolet ne frémit pas.

— Je ne suis pas une imbécile, monsieur Chang. Ce vaisseau n'est pas limité en énergie, comme les anciennes fusées chimiques. La vitesse de libération pour Europe n'est que de trois kilomètres-seconde. L'atterrissage en catastrophe avec ordinateur en panne a fait partie de votre entraînement. Vous pouvez maintenant le mettre en pratique. La fenêtre pour un atterrissage optimal, selon les coordonnées que je vous ai remises, s'ouvrira dans cinq minutes.

— Ce type de manœuvre, protesta Chang qui commençait à transpirer abondamment, a un pourcentage d'échecs de vingt-cinq pour cent (le chiffre exact était de dix pour cent mais il jugea que les circonstances exigeaient une petite exagération) et mon entraînement remonte à des années...

— Dans ce cas, déclara Rose McMahon, je vais devoir vous éliminer et demander au capitaine d'envoyer quelqu'un de plus qualifié. C'est agaçant, parce que nous allons rater cette fenêtre et nous devrons attendre la prochaine pendant deux heures. Il nous reste encore quatre minutes pour celle-ci.

Le lieutenant Chang comprit qu'il était battu ; mais ce n'avait pas été sans résistance, au moins.

— Faites voir ces coordonnées, dit-il.

27. ROSE

LE CAPITAINE LAPLACE SE RÉVEILLA INSTANTANÉMENT, AUX premiers à-coups des réacteurs d'orientation. Pendant un moment, il se demanda s'il rêvait ; mais non, indiscutablement, le vaisseau tournait dans l'espace.

Il pensa que peut-être l'échauffement sur l'une des faces était trop important que le thermostat procédait à quelques petits réglages. Cela arrivait, parfois, et c'était un mauvais point pour l'officier de quart qui aurait dû remarquer qu'on approchait de la température limite de l'enveloppe.

Il allongea le bras vers le bouton de l'interphone pour appeler — qui était-ce ? Oui — M. Chang sur la passerelle. Sa main ne termina pas le geste.

Après des jours d'apesanteur, même un petit dixième de gravité cause un choc. Le capitaine eut l'impression qu'il mettait des minutes, alors que ce n'était probablement que des secondes, à déboucler son harnais et à se lever de sa couchette. Cette fois, il trouva le bouton et le pressa rageusement. Personne ne répondit.

Il s'appliqua à ne pas faire attention à la chute bruyante d'objets mal arrimés, surpris par le brusque rétablissement de la pesanteur. Les objets lui parurent tomber pendant longtemps mais finalement le seul bruit anormal fut le vrombissement lointain, étouffé, de la poussée à pleine puissance.

Il tira violemment le rideau de son hublot et regarda les étoiles. Il savait plus ou moins dans quelle direction était pointé le vaisseau ; même s'il ne pouvait en juger qu'à trente ou quarante degrés près, cela lui permettrait de distinguer entre deux possibilités.

Les moteurs de *Galaxy* pouvaient être actionnés, soit pour augmenter sa vitesse sur orbite, soit pour la diminuer. Il la perdait à présent, donc il se préparait à la descente sur Europe.

On frappa avec insistance à sa porte et Laplace se rendit compte qu'à peine plus d'une minute s'était écoulée depuis son réveil. Le second Floyd et deux autres membres d'équipage se serraient dans l'étroite coursive.

— La passerelle est verrouillée, capitaine, annonça Floyd hors d'haleine. Nous ne pouvons pas y entrer et Chang ne répond pas. Nous ne savons pas ce qui s'est passé.

— Moi si, j'en ai peur, répondit le capitaine tout en enfilant son caleçon. C'était fatal qu'un fou tente ça un jour ou l'autre. C'est un détournement spatial, et je sais vers où. Mais que le diable m'emporte si je sais pourquoi !

Il regarda sa montre et fit un rapide calcul mental.

— À ce degré de poussée, nous ne serons plus sur orbite en moins d'un quart d'heure... À votre avis, est-ce que nous pouvons couper la propulsion sans mettre le vaisseau en danger ?

L'officier mécanicien Yu, la mine très affligée, répondit à contrecœur :

— Nous pouvons actionner les coupe-circuit des pompes du moteur, et ainsi couper l'arrivée du combustible.

— Est-ce qu'ils sont à notre portée ?

— Oui. Ils sont au pont trois.

— Alors, allons-y.

— Euh... Dans ce cas, le système de secours indépendant prendra la relève. Pour raisons de sécurité, il est derrière un panneau scellé du pont cinq, il nous faudrait des cisailles... Non, nous n'y parviendrons pas à temps.

C'était ce que craignait le capitaine Laplace. Les hommes de génie qui avaient conçu *Galaxy* avaient cherché à protéger le vaisseau de tous les accidents concevables. Mais ils ne pouvaient le sauvegarder de la malveillance humaine.

— Pas d'alternative ?

— Pas dans le peu de temps que nous avons, malheureusement.

— Alors montons à la passerelle et voyons si nous pouvons parler à Chang... et à quiconque est avec lui.

Le capitaine se demandait qui cela pouvait être. Il se refusait à croire que ça pouvait être un de ses propres hommes d'équipage. Il restait donc... Mais bien sûr, c'était l'explication ! Parfaitement. Un savant obsédé cherche à prouver sa théorie : ses expériences échouent ; il décide que la recherche doit prendre le pas sur tout le reste...

Cela ressemblait désagréablement à une de ces histoires de savant fou des films d'horreur, mais collait tout à fait à la réalité. Il se demanda si le Pr Anderson avait jugé que ce serait la seule route vers le prix Nobel.

Cette hypothèse fut balayée par l'arrivée du géologue haletant, les vêtements en désordre, et qui s'écriait :

— Pour l'amour du ciel, capitaine, que se passe-t-il ? Nous sommes au régime de poussée maximale ! Est-ce que nous montons, ou bien nous descendons ?

— Nous descendons. Dans une dizaine de minutes, nous serons sur une orbite de rentrée sur Europe. J'espère seulement que celui qui est aux commandes sait ce qu'il fait.

Ils avaient maintenant atteint la passerelle et se tenaient face à la porte fermée. De l'autre côté, c'était le silence total.

Laplace frappa, aussi fort qu'il le put sans se faire mal aux mains.

— C'est le capitaine ! Ouvrez-moi !

Il se sentit un peu ridicule en donnant cet ordre qui resterait certainement ignoré mais il espérait obtenir une réaction. Il fut tout de même surpris d'entendre le haut-parleur extérieur crépiter et une voix déclarer :

— Ne tentez pas d'action téméraire, capitaine. J'ai un pistolet et M. Chang obéit à mes ordres.

— Qui est-ce ? chuchota un des officiers. On dirait une femme !

— Vous avez raison, répliqua sombrement le capitaine, en se disant que cela limitait les possibilités mais n'arrangeait pas les choses. Qu'est-ce que vous espérez ? cria-t-il en s'efforçant de prendre un ton plus autoritaire que plaintif. Vous ne pouvez absolument pas vous en tirer !

— Nous atterrissons sur Europe. Et si vous voulez pouvoir en repartir, n'essayez pas de m'arrêter.

— Il n'y a rien dans sa cabine, annonça le second Chris Floyd une demi-heure plus tard, alors que la poussée avait été coupée et que *Galaxy* plongeait suivant une ellipse qui frôlerait bientôt l'atmosphère d'Europe.

Trop tard ; bien qu'il fût possible à présent d'immobiliser les moteurs, une telle action serait un suicide. On en aurait besoin à l'atterrissage... mais est-ce que ce ne serait pas une forme de suicide à retardement ?

— Rose MacMahon ! Qui l'aurait cru ? Est-ce que ce serait une droguée ?

— Non, répondit Floyd. Cette affaire a été très soigneusement préparée. Elle doit avoir une radio cachée, quelque part à bord. Nous devrions la chercher.

— Vous parlez comme un flic !

— Cela suffit, messieurs, trancha le capitaine.

Les nerfs étaient à vif, principalement à cause de l'inaction forcée et de l'impossibilité d'établir un véritable contact avec la passerelle barricadée. Il consulta sa montre.

— Dans moins de deux heures, nous pénétrerons dans l'atmosphère, le peu qu'y en ait. Je serai dans ma cabine. Il est possible qu'ils essaient de m'y appeler. Monsieur Yu, je vous prie de rester près de la passerelle et de me rapporter immédiatement le moindre incident.

Jamais de sa vie, il ne s'était senti aussi impuissant mais il y avait des moments où l'attente était la seule solution. En quittant le carré des officiers, il entendit l'un d'eux murmurer tristement :

— J'aurais bien besoin d'une bulle de café. Rose faisait le meilleur que j'aie jamais goûté.

Oui, pensa sombrement le capitaine. Elle est indiscutablement compétente. Quelle que soit la tâche à laquelle elle s'attaque.

28. DIALOGUE

IL N'Y AVAIT QU'UN HOMME, À BORD DE *GALAXY*, POUR QUI LA situation n'apparaissait pas comme une catastrophe. Je vais peut-être mourir, pensait Rolf Van der Berg, mais j'aurai au moins une chance d'obtenir l'immortalité. C'était sans doute une maigre consolation, mais c'était plus que ne pouvaient espérer tous les autres.

Pas un instant il ne douta de la destination de *Galaxy*: c'était le mont Zeus. Il n'y avait rien d'autre d'important sur Europe. Il n'y avait d'ailleurs absolument rien de comparable sur *aucune* planète.

Cela signifiait que son hypothèse — car il devait reconnaître que ce n'était encore qu'une hypothèse — n'était plus un secret. Comment y avait-il eu une fuite?

Il se fiait implicitement à l'oncle Paul, mais le vieux monsieur avait pu être indiscret. Plus vraisemblablement, quelqu'un avait piraté ses ordinateurs, peut-être par simple routine. Dans ce cas, le vieux savant était en danger; Rolf se demanda s'il pouvait — et devait — lui transmettre un avertissement. Il savait que l'officier des télécoms essayait d'entrer en contact avec Ganymède, avec un des émetteurs de secours ; un signal d'alarme automatique avait déjà été envoyé et la nouvelle tomberait sur Terre d'une minute à l'autre. Le signal était parti depuis près d'une heure.

— Entrez, répondit-il en entendant discrètement frapper à la porte de sa cabine. Ah, salut, Chris. Que puis-je pour vous ?

Il était étonné de recevoir la visite du second de bord, Chris Floyd, qu'il ne connaissait pas mieux que les autres. Si le vaisseau se posait sans accident sur Europe, se dit-il, ils finiraient par se connaître tous, bien plus qu'ils ne le souhaitaient.

— Salut. Vous êtes la seule personne installée de ce côté. Je me demandais si vous pourriez m'aider.

— Je ne sais pas qui peut aider qui en ce moment. Quelles sont les dernières nouvelles de la passerelle ?

— Il n'y en a pas. Je viens de quitter Yu et Gillings qui essaient de fixer un micro à la porte, mais personne ne parle, à l'intérieur, ce qui n'a rien d'étonnant. Chang doit être débordé.

— Est-ce qu'il peut nous poser sans accident ?

— C'est le meilleur. Si quelqu'un peut le faire, c'est lui. Ce qui m'inquiète davantage, c'est le redécollage.

— Dieu ! Je n'ai pas pensé aussi loin ! Je supposais qu'il n'y aurait pas de problème.

— N'oubliez pas que ce vaisseau est conçu pour les opérations orbitales. Nous n'avions prévu aucun atterrissage, sur aucun satellite, tout en espérant quand même un rendez-vous avec Ananké et Carme. Alors nous risquons de rester coincés sur Europe, surtout si Chang est obligé de gaspiller du combustible en cherchant un bon terrain d'atterrissage.

— Est-ce que nous savons où il cherche à se poser ? demanda Rolf en s'efforçant de ne pas paraître trop intéressé, mais il dut échouer parce que Chris lui jeta un coup d'œil inquisiteur.

— Impossible encore de le dire, mais nous pourrons nous

en faire une meilleure idée quand il commencera la décélération. Vous connaissez ces satellites. Qu'en pensez-vous ?

— Il n'y a qu'un seul point intéressant, le mont Zeus.

— Pourquoi viendrait-on se poser là ?

Rolf fit un geste vague.

— C'est le lieu que nous étions venus explorer. Cela nous
a coûté deux précieux pénétromètres.

— Et on dirait que ça va nous coûter bien plus cher.
Vous n'avez pas d'idées ?

— Vous parlez comme un flic, dit Van der Berg avec un
sourire, sans parler sérieusement du tout.

— C'est drôle, c'est la seconde fois en une heure qu'on
me dit ça.

Instantanément, il y eut un changement subtil dans
l'ambiance de la cabine... un peu comme si l'équipement de
survie s'était remis de lui-même à fonctionner.

— Oh, mais je plaisantais ! En seriez-vous un ?

— Si je l'étais, je ne vous le dirais pas, n'est-ce pas ?

Ce n'était pas une réponse, pensa Van der Berg ; et puis, à
la réflexion, il se dit que si, après tout.

Il examina le jeune officier et remarqua, une fois de plus,
sa ressemblance frappante avec son célèbre grand-père.
Quelqu'un, il ne savait plus qui, lui avait dit que Chris
Floyd auparavant sur un autre vaisseau Tsung, venait à
peine d'être inscrit sur les rôles de *Galaxy* pour cette mission, en ajoutant ironiquement qu'il était utile d'avoir des
relations, dans n'importe quelle profession. Mais personne
n'avait rien à redire à la compétence de Floyd ; c'était un
excellent officier de l'espace. Ses talents le qualifieraient
peut-être pour d'autres emplois à mi-temps. Rolf pensa à
Rose McMahon, qui elle aussi, au fait, avait été recrutée sur
Galaxy juste avant cette mission.

Van der Berg se sentait entraîné dans un vaste réseau
d'intrigues interplanétaire ; accoutumé, de par sa profession
scientifique, à obtenir des réponses directes aux questions
qu'il posait à la Nature, il n'appréciait pas du tout cette
situation.

Mais il ne pouvait guère se poser en victime innocente. Il

avait dissimulé la vérité, ou du moins ce qu'il pensait être la vérité. Et maintenant, les conséquences de cette dissimulation se multipliaient comme les neutrons dans une réaction en chaîne, avec des résultats peut-être catastrophiques.

Dans quel camp était Chris Floyd ? Combien de camps y avait-il ? Le Bund y était certainement mêlé, c'était lui qui avait dû éventer le secret. Mais il y avait des groupes marginaux dans le Bund lui-même, et des groupuscules qui leur étaient opposés ; c'était comme une galerie des glaces.

D'une chose au moins il était raisonnablement certain. Chris Floyd, ne serait-ce qu'à cause de sa famille, était digne de confiance. Je suis prêt à parier, pensa Van der Berg, qu'il a été affecté à Astropol pour la durée de la mission... Courte ou longue, allez savoir maintenant...

— Je ne demande qu'à vous aider, Chris, dit-il posément. Comme vous vous en doutez, j'ai des hypothèses. Mais elles risquent d'être complètement folles... Dans moins d'une demi-heure, nous connaîtrons la vérité. Jusque-là, je préfère ne rien dire.

Et ce n'est pas simplement, pensa-t-il, de l'obstination atavique boer. S'il s'était trompé, il préférait que son entourage ignore quel était l'imbécile responsable de leur funeste destin.

29. LA DESCENTE

LE LIEUTENANT CHANG SE DÉBATTAIT AVEC UN NOUVEAU
problème depuis que *Galaxy* avait réussi — ce qui l'avait
surpris autant que soulagé — son passage sur son orbite de
transfert. Pendant les deux prochaines heures, le vaisseau
serait entre les mains de Dieu, ou tout au moins de Sir Isaac
Newton ; il n'y avait rien d'autre à faire que d'attendre la
manœuvre finale de décélération et de descente.

Il avait brièvement envisagé de tromper Rose en donnant
au vaisseau une impulsion inverse juste au moment de
l'approche, pour le renvoyer ainsi dans l'espace. Il se retrou-
verait alors sur orbite stable et une mission de sauvetage
pourrait éventuellement arriver de Ganymède. Mais il y
avait un obstacle fondamental à un tel projet : il ne serait
certainement plus en vie. Chang n'était pas un lâche, mais il
préférait ne pas devenir un héros posthume des lignes spatiales.

Quoi qu'il en soit, ses chances de survivre à l'heure suivante
paraissaient minces. Il avait reçu l'ordre de faire atterrir,

à lui tout seul, un vaisseau de trois mille tonnes en territoire totalement inconnu. C'était un exploit qu'il n'aurait même pas voulu tenter sur la Lune qui lui était pourtant familière.

— Combien de minutes avant notre décélération ? demanda Rose.

Peut-être était-ce plus un ordre qu'une question ; elle comprenait manifestement les principes fondamentaux de l'astronautique et Chang renonça à toute tentative insensée de la tromper.

— Cinq, marmonna-t-il. Est-ce que je peux avertir le reste du vaisseau de se tenir prêt ?

— Je vais le faire. Donnez-moi le micro... ATTENTION. ICI LA PASSERELLE. NOUS ENTAMERONS LA DÉCÉLÉRATION DANS CINQ MINUTES. JE RÉPÈTE. CINQ MINUTES. TERMINÉ.

Pour les savants et les officiers réunis dans le carré, le message n'avait rien de surprenant. Par chance, les caméras extérieures n'avaient pas été débranchées. Peut-être Rose les avait-elle oubliées ; il était plus probable qu'elle ne s'en était pas souciée. Ainsi pouvaient-ils maintenant, spectateurs impuissants — littéralement captifs — observer sur les écrans vidéo le déroulement de leur tragique destin.

Le croissant nuageux d'Europe emplissait maintenant le champ de la caméra arrière. Il n'y avait pas la moindre brèche dans l'épais plafond de vapeur d'eau qui se recondensait en retombant sur la face nocturne. C'était sans importance puisque l'atterrissage se faisait au radar jusqu'au tout dernier moment. Ces nuages allaient cependant prolonger l'angoisse des observateurs qui devaient se contenter de la lumière visible.

Personne ne contemplait plus intensément le monde dont ils approchaient que celui qui l'étudiait avec tant d'application depuis près de dix ans. Rolf Van der Berg, assis dans un des légers fauteuils de basse gravité avec sa ceinture bien attachée, remarqua à peine le début du retour de la pesanteur au moment de la décélération.

En cinq secondes, la poussée monta au maximum. Tous les officiers se livraient à des calculs rapides sur leurs comsets ; sans accès à la navigation, il fallait y aller à l'estime.

— Onze minutes, annonça enfin le capitaine Laplace, en supposant qu'il ne réduira pas le niveau de poussée. Il est déjà au maximum. Et en supposant qu'il va devoir planer à dix mille mètres, juste au-dessus du plafond, et puis descendre tout droit. Ça pourrait durer cinq minutes de plus.

Il n'avait pas besoin d'ajouter que la dernière seconde de ces cinq minutes serait la plus critique.

Europe paraissait déterminée à garder ses secrets jusqu'à la fin. Quand *Galaxy* se mit à planer, immobile, juste au-dessus de la couche de nuages, il n'y avait toujours aucune trace de terre, ou de mer, au-dessous. Pendant quelques terribles secondes, les écrans ne montrèrent rien du tout, à part une image brouillée du train d'atterrissage sorti, très rarement utilisé jusque-là. Quelques minutes plus tôt, le bruit de son déploiement avait provoqué une certaine agitation inquiète chez les passagers ; à présent, ils ne pouvaient qu'espérer qu'il tiendrait le coup.

Quelle est l'épaisseur de ces fichus nuages ? se demanda Van der Berg. Est-ce qu'ils touchent le sol... ?

Non, ils se dégageaient, ils s'effilochaient en lambeaux, en volutes... et la Nouvelle Europe était là, étalée semblait-il à quelques milliers de mètres seulement au-dessous d'eux.

Indiscutablement, elle était neuve ; pas besoin d'être géologue pour le voir. Il y avait quatre milliards d'années environ, la Terre devait avoir cet aspect, alors que terre et mer s'apprêtaient à entamer leur éternel conflit.

Jusqu'aux cinquante dernières années, il n'y avait eu là ni terre ni mer, seulement de la glace. Mais la glace avait fondu sur l'hémisphère exposé à Lucifer, l'eau qui résultait de cette fonte avait débordé et s'était déposée dans le congélateur permanent de la face nocturne. Le déplacement de milliards de tonnes de liquide d'un hémisphère à l'autre avait ainsi mis à découvert des fonds marins insoupçonnables à la pâle clarté du très lointain soleil.

Un jour, peut-être, ces paysages convulsés se trouveraient adoucis et civilisés par une couche de végétation ; pour le moment, on n'apercevait que des coulées de lave stériles et des marais vaporeux, vaguement parsemés d'excroissances

144

de rochers aux couches bizarrement inclinées. Il s'agissait là, manifestement, d'une région de grands bouleversements tectoniques, ce qui n'était guère étonnant puisqu'elle avait récemment donné naissance à une montagne de l'importance de l'Everest.

Elle était là, dominant l'horizon anormalement rapproché. Le cœur de Rolf Van der Berg se serra et il ressentit un picotement sur la nuque. Il voyait maintenant la montagne de ses rêves à l'œil nu, sans le secours des objectifs de ses instruments.

Elle avait — il le savait déjà — la forme approximative d'un tétraèdre penché, si bien qu'une face était presque verticale. (Ça, ce serait un défi pour les alpinistes, même avec cette gravité, d'autant qu'ils ne pourraient pas y planter des pitons...) Le sommet se cachait dans les nuages et une grande partie de la pente douce tournée vers eux était couverte de neige.

— C'est pour ça qu'on fait tant d'histoires ? marmonna avec dédain un des hommes. Ça m'a l'air d'une montagne tout à fait ordinaire. Mais aussi, quand on en a vu une...

Des « chut » irrités le réduisirent au silence.

Galaxy dérivait lentement vers le mont Zeus et Chang cherchait un bon point d'atterrissage. Le vaisseau disposait de très peu de contrôle latéral, car quatre-vingt-dix pour cent de la poussée principale étaient nécessaires à le maintenir en l'air. Il y avait assez de propulsif pour planer pendant cinq minutes environ ; ensuite, il pourrait encore pouvoir se poser sans accident... mais il serait tout à fait incapable de redécoller.

Neil Armstrong avait eu à résoudre le même dilemme, près de cent ans plus tôt. Mais il n'avait pas un pistolet pointé sur son crâne.

Depuis quelques minutes, toutefois, Chang avait complètement oublié le pistolet de Rose. Tous ses sens se concentraient sur sa prochaine manœuvre ; il faisait pratiquement partie du gigantesque engin qu'il contrôlait. La seule émotion humaine qui lui restât n'était pas la peur mais l'exaltation. Cette manœuvre, à laquelle il avait été entraîné, constituait le sommet de sa carrière... et peut-être la fin.

Cela semblait bien le cas. Le pied de la montagne n'était plus qu'à un kilomètre, même moins, et il n'avait toujours pas trouvé de point d'atterrissage. Le terrain était incroyablement accidenté, creusé de gorges, jonché d'énormes rochers. Pas la moindre surface plate plus grande qu'un court de tennis, et la ligne rouge de la jauge de propulsif n'était plus qu'à trente secondes.

Mais là, enfin, il y avait une aire lisse, certainement la plus plate qu'il eût vue. C'était sa seule chance, dans le temps qui lui restait.

Délicatement, Chang manipula le cylindre géant instable vers la plaque horizontale. Elle avait l'air couverte de neige... oui, elle l'était... le souffle violent des tuyères la faisait voler... mais qu'y avait-il dessous ? De la glace, apparemment... ce devait être un lac gelé... quelle épaisseur... QUELLE ÉPAISSEUR... ?

Les cinq cents tonnes des principaux réacteurs de *Galaxy* frappèrent la surface engageante mais trompeuse. Un quadrillage de lignes brisées la recouvrit rapidement ; la glace se fendait, de grands pans se renversaient. Des vagues concentriques d'eau bouillonnante jaillirent sous la fureur de la poussée.

En bon officier bien entraîné, Chang réagit automatiquement, sans se donner le temps d'hésiter ou de réfléchir. Sa main gauche écarta le verrou de protection, sa droite saisit le levier rouge ainsi dégagé et le tira sur la position ouverte.

Le programme Avortement, paisiblement endormi depuis le lancement de *Galaxy*, prit la relève et rejeta le vaisseau vers le ciel.

30. *GALAXY AMERRIT*

DANS LE CARRÉ, LA BRUTALE REPRISE DE LA PLEINE PRO-
pulsion fit l'effet aux spectateurs d'un sursis à un
condamné. Les officiers horrifiés avaient assisté à l'effondrement du site d'atterrissage et avaient compris qu'il n'y avait
qu'un seul moyen de se sauver. Maintenant que Chang
l'avait choisi, ils se permettaient de nouveau le luxe de respirer.

Mais combien de temps pourraient-ils en profiter, personne n'eût pu le dire. Seul Chang savait s'il restait assez de
propulsif pour atteindre une orbite stable ; et même alors,
pensa lugubrement le capitaine Laplace, la folle au pistolet
risquait de lui ordonner de redescendre. Bien que pas un
instant il ne la prît pour une folle ; elle savait exactement ce
qu'elle faisait.

Tout à coup, il y eut un changement de régime.

— Le moteur numéro quatre vient de tomber en panne,
annonça un officier mécanicien. Ça ne m'étonne pas. Sur-

147

chauffe, probablement. Pas conçu pour tenir si longtemps à ce niveau.

On ne ressentit naturellement pas de changement de direction — la réduction de poussée se faisant dans l'axe du vaisseau — mais la vue sur les écrans avait brusquement basculé. *Galaxy* s'élevait toujours mais plus à la verticale. Il était devenu un missile balistique, visant un objectif inconnu sur Europe.

Une fois de plus, la poussée s'arrêta brutalement ; sur les écrans vidéo, l'horizon reprit sa place.

— Il a coupé le moteur opposé, le seul moyen de nous empêcher de faire des tonneaux, mais est-ce qu'il peut conserver l'altitude ?... Ah bravo !

Les savants furent incapables de deviner la raison de cette approbation ; l'image avait disparu des écrans, dans un brouillard blanc aveuglant.

— Il balance l'excédent de propulsif... il allège le vaisseau...

La poussée tomba à zéro ; le vaisseau était en chute libre. En quelques secondes, il traversa l'immense nuage de cristaux de glace créé quand le propulsif déversé avait explosé dans l'espace. Et là, sous eux, se rapprochant très lentement en raison de la faible gravitation (un huitième de la gravitation terrestre), s'étendait la mer centrale d'Europe. Au moins Chang n'aurait pas à chercher de terrain d'atterrissage ; désormais, c'était la manœuvre standard, rendue familière par les jeux vidéo à des millions d'individus qui n'étaient jamais allés et n'iraient jamais dans l'espace. Il suffisait d'établir l'équilibre entre la poussée et la gravité pour que le vaisseau descendant atteigne la vitesse zéro à l'altitude zéro. Il y avait une marge d'erreur mais très faible, comme lors des premiers amerrissages que les astronautes américains avaient préférés au début et que Chang reproduisait à son corps défendant. S'il faisait une faute — et ce serait bien pardonnable, après ces dernières heures —, aucun micro-ordinateur ne lui dirait : « Désolé, vous vous êtes écrasé. Voulez-vous essayer encore ? Répondez OUI/NON... »

La mission la plus pénible de toutes revenait peut-être au lieutenant Yu et à ses deux compagnons, postés avec leurs armes de fortune devant la porte verrouillée de la passerelle. Ils n'avaient pas d'écran d'observation pour leur apprendre ce qui se passait et ne pouvaient compter pour être renseignés que sur les messages du carré. Rien n'avait filtré par leur micro espion, ce qui n'était guère étonnant. Chang et McMahon n'avaient ni le temps ni l'envie de faire la conversation.

L'amerrissage fut superbe, presque sans la moindre secousse. *Galaxy* coula de quelques mètres mais remonta aussitôt et flotta à la verticale, stabilisé par le poids de ses moteurs.

Ce fut alors que les guetteurs perçurent dans leur micro les premières paroles intelligibles.

— Rose, espèce de cinglée, disait Chang d'une voix plus épuisée que furieuse. J'espère que vous voilà satisfaite. Nous pouvons tous nous considérer comme morts !

Puis un coup de feu claqua, suivi d'un long silence.

Yu et ses camarades ne purent qu'attendre, certains que quelque chose allait bientôt se passer. Enfin ils entendirent bourdonner le système de verrouillage et leurs mains se resserrèrent autour des barres de métal ou des clefs géantes qu'elles tenaient. Elle tuerait peut-être l'un d'eux, mais pas tous les trois.

La porte s'ouvrit, très lentement.

— Excusez-moi, marmonna le lieutenant Chang. J'ai dû perdre connaissance une minute.

Et, comme n'importe quel homme normal, il retomba dans les pommes.

31. LA MER DE GALILÉE

Je ne comprendrai jamais comment on peut devenir médecin, pensait le capitaine Laplace. Ou croquemort. Quelles tâches immondes ils doivent accomplir...

— Alors, avez-vous trouvé quelque chose ?

— Non, capitaine. Évidemment, je n'ai pas le matériel voulu. Il y a des implants qu'on ne peut détecter qu'au microscope, du moins à ce qu'on m'a dit. Mais ils ne pourraient être que de très courte portée.

— Peut-être vers un émetteur-relais quelque part à bord... Floyd a suggéré que nous fassions une perquisition. Vous avez relevé ses empreintes ou... des détails qui permettraient de l'identifier ?

— Oui. Quand nous contacterons Ganymède, nous les leur transmettrons, ainsi que ses papiers. Mais je doute que nous sachions un jour qui était Rose ou pour qui elle travaillait. Et dans quel but !

— Elle a au moins manifesté un sentiment humain, murmura Laplace, songeur. Quand Chang a tiré le levier Avortement, elle a dû comprendre qu'elle avait échoué. Elle aurait pu le tuer à ce moment-là, au lieu de le laisser se poser.

— Grand bien nous fasse ! Laissez-moi vous raconter ce qui s'est passé quand Jenkins et moi avons fait glisser le cadavre par le vide-ordures, dit le médecin en réprimant mal une grimace de dégoût. Vous aviez raison, bien sûr, c'était la seule chose à faire. Enfin, bref, nous ne nous sommes pas donné la peine de le lester. Il a flotté pendant quelques minutes. Nous l'avons observé, pour voir s'il s'écarterait du vaisseau et alors...

Le médecin semblait avoir du mal à trouver ses mots.

— Et alors quoi ?

— Quelque chose est sorti de l'eau. On aurait dit un bec de perroquet mais cent fois plus gros. Il a saisi... Rose... d'un claquement de bec et a disparu. Nous avons ici de la compagnie, et impressionnante. Même si nous pouvions respirer à l'extérieur, je ne recommanderais pas la baignade...

— Passerelle à capitaine, intervint l'officier de quart. Une grande agitation dans l'eau. Caméra trois... Je vais vous donner une image.

— C'est ce que j'ai vu ! s'écria le médecin.

Il se sentit soudain glacé par une pensée terrifiante : J'espère qu'il ne revient pas pour un deuxième service !

Brusquement, une énorme masse rompit la surface de l'océan, dans un bond prodigieux. Pendant un instant, le monstre resta suspendu entre ciel et eau.

Le familier est souvent aussi choquant que l'inconnu, quand il n'est pas à sa place. Le capitaine et le médecin s'exclamèrent à l'unisson :

— Mais c'est un requin !

Ils eurent tout juste le temps de noter quelques différences — en plus de ce bec de perroquet incroyable — avant que le géant retombe dans la mer. Il avait une paire de nageoires supplémentaire et ne semblait pas posséder de branchies. Il n'avait pas d'yeux, non plus, mais de chaque côté du bec de curieuses protubérances qui pouvaient être des organes de sens.

151

— Évolution convergente, reprit le médecin. Mêmes problèmes, mêmes solutions, sur n'importe quelle planète. Voyez la Terre. Les requins, les dauphins, les ichtyosaures. Tous les prédateurs océaniques sont formés sur le même modèle. Mais ce bec me surprend, tout de même...

— Que fait-il, maintenant ?

Le monstre remontait à la surface mais très lentement, comme si ce bond gigantesque l'avait épuisé ; il paraissait même avoir des ennuis... souffrir. Sa queue battait l'eau sans qu'il tente de se déplacer dans une direction quelconque.

Soudain, il vomit son dernier repas, se retourna le ventre en l'air et flotta sans vie au gré des vagues.

— Mon Dieu, murmura le capitaine avec un dégoût évident. Je crois savoir ce qui s'est passé.

— Biochimie totalement étrangère, dit le médecin, lui-même vaguement écœuré par ce spectacle. Rose a fait une victime, après tout.

La mer de Galilée avait été ainsi nommée, naturellement, en l'honneur de l'homme qui avait découvert Europe et qui portait lui-même le nom d'une mer bien plus petite, sur un autre monde.

C'était une très jeune mer, moins de cinquante ans, et par conséquent, elle pouvait être très turbulente. Bien que l'atmosphère d'Europe fût encore trop pauvre pour engendrer de véritables tempêtes, un vent régulier soufflait des terres environnantes vers la zone tropicale, au point où Lucifer était stationnaire dans le ciel. Là, dans ce plein midi perpétuel, l'eau ne cessait de bouillonner, mais à une température rarement assez chaude pour faire une bonne tasse de thé.

Heureusement, cette région de turbulences était à mille kilomètres ; Galaxy était descendu dans un secteur relativement calme, à moins de cent kilomètres de la terre la plus proche. À sa vitesse de pointe, le vaisseau aurait couvert cette distance en une fraction de seconde ; mais pour le moment, tandis qu'il dérivait sous les nuages bas du ciel éternellement couvert d'Europe, la côte paraissait aussi inaccessible que le plus lointain quasar. Pour tout aggraver — s'il était possible — le vent de terre incessant le repoussait vers le large. Et même s'il parvenait à s'amarrer sur une plage vierge de ce nouveau monde, sa situation ne serait pas améliorée pour autant.

Elle serait tout de même plus confortable ; les vaisseaux spatiaux, tout en étant remarquablement étanches, sont rarement capables de tenir la mer. *Galaxy* flottait en position verticale, avec des oscillations légères mais bien désagréables ; la moitié de l'équipage était déjà malade.

Le premier acte du capitaine Laplace, après avoir pris connaissance de tous les rapports d'avaries, avait été de faire appel à quiconque avait une expérience des bateaux, quels qu'ils fussent. Il lui paraissait raisonnable de supposer que sur trente mécaniciens de l'astronautique et savants, il y avait quelques amateurs de navigation ; il trouva immédiatement cinq plaisanciers et même un marin professionnel, le commissaire Frank Lee, qui avait débuté sur les lignes maritimes Tsung avant d'être muté dans l'espace.

Les commissaires étaient sans doute plus accoutumés aux machines comptables (dans le cas de Frank Lee un boulier d'ivoire vieux de deux cents ans) qu'aux instruments de navigation, mais ils devaient quand même avoir des notions suffisantes dans ce domaine. Lee n'avait jamais eu l'occasion de mettre à l'épreuve ses talents de navigateur et maintenant, à un million de kilomètres de la mer de Chine méridionale, son heure était venue.

— Nous devrions inonder les réservoirs de propulsif, dit-il au capitaine. Comme ça, nous serons plus bas sur l'eau et nous ne roulerons pas autant.

Cela paraissait stupide de faire pénétrer encore plus d'eau dans le vaisseau et le capitaine hésita.

— Et si nous nous échouons ?

Personne ne posa la question évidente : « Qu'est-ce que ça changera ? » Sans aucune concertation, tous pensaient qu'il vaudrait mieux être sur de la terre ferme... si on pouvait atteindre une côte.

— Nous pourrons toujours évacuer l'eau. D'ailleurs,

nous devrons le faire en abordant la côte, pour mettre le vaisseau à l'horizontale. Grâce à Dieu, nous avons suffisamment d'énergie...

Lee laissa sa phrase en suspens mais tout le monde savait à quoi il pensait. Sans le réacteur auxiliaire qui alimentait les systèmes de survie, ils seraient tous morts en quelques heures. Pour le moment — sauf panne — le vaisseau pouvait les faire vivre indéfiniment.

À la fin, naturellement, ils mourraient d'inanition; ils venaient d'avoir la preuve dramatique que pêcher sa nourriture dans les mers d'Europe pourrait être fatal à leurs organismes terrestres.

Ils avaient au moins pu entrer en contact avec Ganymède, donc toute la race humaine était au courant de leur drame. Les plus grands cerveaux du système solaire allaient tenter de les secourir. S'ils n'y parvenaient pas, les passagers et l'équipage de *Galaxy* auraient la consolation de mourir sous les projecteurs aveuglants des médias.

IV. Au point d'eau

32. DIVERSION

— Aux dernières nouvelles, annonça le capitaine Smith à ses passagers réunis, *Galaxy* est à flot, en assez bon état. Un membre d'équipage, une hôtesse, a été tuée. Nous ignorons les détails. Mais tous les autres sont sains et saufs.

» Les systèmes du vaisseau fonctionnent tous ; il y a quelques fuites mais elles ont été colmatées. D'après le capitaine Laplace, il n'y a pas de danger immédiat. Le vent les repousse de plus en plus loin de la terre ferme, vers le centre de la face diurne mais ce n'est pas un grave problème : ils sont presque certains de toucher une des grandes îles avant d'y parvenir. Pour le moment, ils sont à quatre-vingt-dix kilomètres de la côte la plus proche. Ils ont vu de gros animaux marins mais qui ne donnent aucun signe d'hostilité.

» Sauf accident, ils devraient être en mesure de survivre pendant plusieurs mois, jusqu'à ce qu'ils n'aient plus de vivres ; ils sont d'ailleurs déjà strictement rationnés. Mais, à ce que dit encore le capitaine Laplace, le moral est bon.

» Et c'est là que nous intervenons. Si nous retournons

immédiatement sur la Terre pour refaire le plein et faire vérifier le vaisseau, nous pouvons atteindre Europe sur une orbite rétro-propulsée en quatre-vingt-cinq jours. *Univers* est le seul vaisseau actuellement en service capable d'y atterrir et d'en décoller avec un chargement raisonnable. Les navettes de Ganymède peuvent sans doute larguer des vivres ou du matériel, mais c'est tout. Malgré tout, cela fera presque toute la différence entre la vie et la mort.

» Je regrette, mesdames et messieurs, que notre visite soit écourtée, mais je pense que vous êtes tous d'accord pour reconnaître que nous vous avons montré tout ce que nous vous avions promis. Et je suis sûr que vous approuverez notre nouvelle mission, même si les chances de succès sont, je ne le cache pas, assez minces. Ce sera tout pour le moment. Professeur Floyd... Puis-je vous voir un instant ?

Tandis que tout le monde sortait lentement, en méditant, du grand salon — théâtre auparavant de nombreuses réunions moins dramatiques —, le capitaine parcourut une liasse de messages. Les mots écrits ou imprimés sur du papier étaient encore parfois le moyen de communication le plus commode, mais même là la technique avait eu son mot à dire. Les feuillets que le capitaine tenait dans sa main étaient faits de cette matière multifax indéfiniment réutilisable qui avait tant fait pour réduire le fardeau de l'humble corbeille à papier.

— Heywood, dit-il sans plus de cérémonie — le temps des politesses était passé —, il se passe beaucoup de choses que je ne comprends pas.

— Moi non plus, répliqua Floyd. Pas encore de nouvelles de Chris ?

— Non, mais Ganymède a relayé votre message et il devrait l'avoir reçu, maintenant. Les communications personnelles sont interdites pour l'instant, comme vous l'imaginez, mais naturellement votre nom a permis de passer outre.

— Merci, capitaine. Y a-t-il quelque chose que je puisse faire pour vous aider ?

— Ma foi, je ne vois pas... Je vous le ferai savoir.

Ce devait être la dernière fois, ou presque, et pour un

assez long temps, que les deux hommes s'adressaient la parole. Dans quelques heures, le Pr Heywood Floyd ne serait plus que «ce vieux fou imbécile» après que la brève «mutinerie de l'*Univers*» aurait éclaté... dirigée par le capitaine.

L'officier de navigation était le lieutenant Roy Jolson, surnommé «Stars». Floyd le connaissait à peine de vue et n'avait jamais eu l'occasion d'échanger avec lui d'autres mots que bonjour-bonsoir. Il fut donc étonné, ayant entendu frapper à la porte de sa cabine, de se trouver face à lui.

Il apportait plusieurs cartes et semblait assez mal à l'aise. Ce ne pouvait pas être la présence de Floyd qui l'intimidait — tout le monde à bord avait eu le temps de s'y habituer —, alors il devait y avoir une autre raison.

— Professeur, commença-t-il sur un ton si pressant, si anxieux, qu'il avait l'air d'un représentant qui a misé tout son avenir sur sa prochaine vente, j'aimerais vous demander un conseil... et votre assistance.

— Tant que vous voudrez, mais que puis-je faire ?

Jolson déroula une carte montrant la position de toutes les planètes à l'intérieur de l'orbite de Lucifer.

— Le truc que vous avez utilisé quand vous avez couplé *Leonov* et *Discovery* pour vous échapper de Jupiter avant que la planète explose m'a donné une idée.

— Celle-là n'était pas la mienne, mais celle de Walter Curnow.

— Ah ? Je ne savais pas. Naturellement, nous n'avons pas d'autre vaisseau pour nous propulser ici, mais nous avons bien mieux que ça !

— Que voulez-vous dire ? demanda Floyd se demandant où il voulait en venir.

— Pourquoi retourner sur la Terre pour refaire le plein de propulsif alors qu'Old Faithful en fait jaillir des tonnes à chaque seconde, à deux cents mètres d'ici ? Si nous puisions à cette source, ce n'est pas trois mois qu'il nous faudrait pour atteindre Europe, mais trois *semaines*.

L'idée était si évidente, et pourtant si audacieuse, que Floyd en eut le souffle coupé. Une demi-douzaine d'objections lui vinrent immédiatement à l'esprit, mais aucune ne lui parut définitive.

— Qu'en pense le capitaine ?

— Je ne lui en ai pas parlé. C'est pour ça que j'ai besoin de votre aide. J'aimerais que vous ayez la gentillesse de vérifier mes calculs, et puis de lui présenter la chose. Moi, il refuserait de m'écouter, j'en suis certain, et je ne pourrais lui en vouloir. Si j'étais le capitaine, je crois que moi aussi...

Un long silence s'installa dans la petite cabine. Enfin Heywood Floyd dit lentement :

— Je vais vous donner toutes les raisons pour lesquelles ce n'est pas possible. Ensuite, vous me direz pourquoi je me trompe.

Le lieutenant Jolson connaissait bien son supérieur : le capitaine Smith n'avait jamais, à ses dires, entendu de suggestion plus démente...

Ses objections étaient d'ailleurs toutes très bien fondées, sans un soupçon de parti pris.

— Bien sûr, en théorie ça marcherait, reconnut-il. Mais pensez aux problèmes pratiques, mon vieux ! Comment est-ce que vous comptez amener ça dans les réservoirs ?

— J'en ai parlé aux mécaniciens. Nous rapprocherions le vaisseau du bord du cratère. À cinquante mètres, il n'y aucun danger. Il y a de la tuyauterie inutile que nous pouvons démonter, et puis nous installerons une canalisation jusqu'à Old Faithful et nous attendrons qu'il jaillisse. Vous connaissez sa ponctualité.

— Mais nos pompes ne peuvent pas fonctionner dans un quasi-vide !

— Nous n'en avons pas besoin. Nous pouvons compter sur la vitesse de jaillissement du geyser pour nous donner un afflux d'au moins cent kilos-seconde. Old Faithful fera tout le travail.

— Il nous donnera des cristaux de glace et de la vapeur, mais pas d'eau liquide.

— Tout se liquéfiera ou se condensera à bord.

— Vous avez vraiment réponse à tout, on dirait, grommela le capitaine non sans une certaine admiration. Mais je n'y crois pas. Et d'abord, est-ce que l'eau est assez pure ? Et les contaminants, en particulier les particules de carbone ?

Floyd ne put s'empêcher de sourire. La suie devenait une obsession chez le capitaine Smith.

— Il est possible de filtrer les plus grosses ; le reste ne gênera pas la réaction. Et, ah oui, le taux d'isotopes d'hydrogène paraît plus élevé ici que sur la Terre. Vous auriez peut-être une poussée plus forte.

— Que pensent vos confrères de cette idée ? Si nous nous dirigeons tout droit vers Lucifer, ils ne rentreront pas chez eux avant des mois...

— Je ne leur ai rien dit encore. Mais est-ce important, alors que tant de vies sont en jeu ? Nous avons la possibilité de secourir *Galaxy* avec soixante-dix jours d'avance sur le temps prévu ! Soixante-dix jours ! Songez à ce qui risque d'arriver sur Europe dans ce laps de temps !

— J'ai parfaitement conscience du facteur temps, rétorqua sèchement le capitaine. Et cela nous concerne aussi. Nous risquons de ne pas avoir assez de vivres pour un voyage prolongé.

Voilà qu'il cherche la petite bête, pensa Floyd, et il doit savoir que je m'en rends compte. Mieux vaut avoir recours au tact...

— Pour deux semaines supplémentaires ? Je ne puis croire que nous ayons une marge aussi réduite. D'ailleurs, vous nous nourrissez trop bien. Un petit rationnement ne nous fera pas de mal.

Le capitaine se força à sourire, un sourire glacial.

— Allez raconter ça à Willis et à Mihailovitch. Cela dit, toute cette idée me paraît complètement folle.

— Essayons au moins d'en faire part à la direction générale. Je voudrais parler à Sir Lawrence.

— Je ne puis vous en empêcher, naturellement, dit le capitaine Smith sur un ton suggérant qu'il ne demanderait

161

pas mieux, mais je sais exactement ce qu'il va vous répondre.

Il se trompait complètement.

Sir Lawrence ne s'était plus risqué à un jeu de hasard depuis trente ans ; cela ne convenait pas à l'auguste position qu'il occupait désormais dans le monde des affaires. Mais, jeune homme, il avait connu quelques battements de cœur à l'hippodrome de Hong Kong, avant qu'un gouvernement puritain le ferme dans une crise de moralité publique. La vie était ainsi faite, pensait-il parfois amèrement : autrefois, quand il n'avait pas d'argent pour le faire, il avait la possibilité de jouer, et maintenant qu'il était l'homme le plus riche du monde, il ne le pouvait plus parce qu'il devait donner le bon exemple.

Et pourtant, personne ne savait mieux que lui que toute sa carrière n'avait été qu'une longue suite de coups de dés. Chaque fois, il avait fait son possible pour forcer la chance, en rassemblant les meilleurs renseignements, en écoutant les experts que son intuition disait capables de lui donner les meilleurs conseils. Il avait généralement su se retirer de la partie à temps quand ils se trompaient, mais il y avait toujours eu un élément de risque.

À présent, en lisant le mémorandum de Heywood Floyd, il retrouvait cette excitation qu'il avait connue quand les chevaux débouchaient du virage et fonçaient dans la dernière ligne droite. C'était là un pari, indiscutablement, peut-être le dernier et le plus gros de sa carrière, même si jamais il n'oserait en parler à son conseil d'administration. Et encore moins à Lady Jasmine.

— Qu'en penses-tu, Bill ? demanda-t-il.

Son fils (pondéré et tout à fait digne de confiance, mais à qui manquait cependant cette étincelle vitale qui n'était peut-être plus nécessaire dans cette génération) lui fit la réponse à laquelle il s'attendait :

— En théorie, c'est très valable. *Univers* peut le faire... sur le papier. Mais nous avons déjà perdu un vaisseau, est-il sage d'en risquer un autre ?

162

— Il doit quand même aller à Jupiter... euh... Lucifer.

— Oui, mais après une révision complète en orbite terrestre. Est-ce que tu te rends compte de ce que signifie une telle mission directe ? Il va battre tous les records de vitesse, il ferait plus de mille kilomètres-seconde au moment du retournement.

C'était ce qu'il pouvait dire de plus maladroit ; une fois de plus, le tonnerre des sabots au galop résonna aux oreilles de Sir Lawrence. Mais il se contenta de répondre simplement :

— Ça ne coûte rien de les laisser procéder à quelques essais, même si le capitaine Smith a l'air d'être fermement opposé à cette idée. Il a été jusqu'à menacer de démissionner. En attendant, vérifie, nos contrats avec Lloyds. Nous pourrions avoir à reconsidérer le sinistre de *Galaxy*.

Surtout, aurait-il pu ajouter, si nous décidons d'engager *Univers* dans l'affaire.

Et il s'inquiétait au sujet du capitaine Smith. Maintenant que Laplace était naufragé sur Europe, Smith était le meilleur commandant qui lui restât.

33. GEYSER SERVICE

— LE BOULOT LE PLUS MINABLE QUE J'AIE VU DEPUIS QUE j'ai quitté l'école, grommela le chef mécanicien. Mais ce qu'on pouvait faire de mieux dans le temps qui nous était imparti.

Le pipe-line de fortune s'étirait sur cinquante mètres de roche étincelante incrustée de substances chimiques vers le cratère encore en repos d'Old Faithful, où il se terminait par une espèce d'entonnoir rectangulaire. Le Soleil venait juste d'apparaître au-dessus des collines et déjà le sol tremblait légèrement alors que les réservoirs souterrains — ou sous-halleyens — de la comète sentaient les premières chaleurs.

À l'affût dans le salon d'observation, Heywood Floyd avait du mal à croire que tant d'événements s'étaient déroulés depuis vingt-quatre heures. Pour commencer, le vaisseau s'était divisé en deux factions rivales, la première conduite par le capitaine et l'autre, forcément, par lui-même. Ils restaient froidement polis l'un envers l'autre, mais, s'il n'y avait pas eu de véritables échanges de coups, il avait découvert qu'on lui avait attribué le surnom de « Floyd Suicide ». Il n'appréciait pas tellement.

Personne, cependant, n'avait rien de sensé à reprocher à la manœuvre Floyd-Jolson. (Cette appellation aussi était injuste ; il avait insisté pour que tout l'honneur en revînt à Jolson mais personne ne l'avait écouté et Mihailovitch avait même ironisé : « Vous n'êtes donc pas prêt à en partager la responsabilité si ça tourne mal ? »)

Le premier essai aurait lieu dans vingt minutes, quand Old Faithful saluerait l'aube à sa manière, avec un peu de retard. Mais même si cette idée marchait, même si les réservoirs se remplissait d'eau pure au lieu du liquide vaseux que prédisait le capitaine Smith, la route vers Europe était loin d'être ouverte.

Les réactions des passagers demeuraient un facteur sans doute mineur mais non négligeable. On leur avait annoncé qu'ils seraient de retour chez eux dans quinze jours ; maintenant, à leur surprise et dans certains cas à leur désespoir, ils devaient affronter la perspective d'une mission dangereuse à l'autre bout du système solaire. Et même si cette mission réussissait aucune date ferme n'était plus prévue pour leur retour sur Terre.

Willis était effondré ; tout son futur emploi du temps était bouleversé. Il errait en marmonnant des menaces de procès mais personne ne lui accordait la moindre attention.

Greenberg, en revanche, exultait ; il allait maintenant pouvoir se replonger réellement dans les affaires spatiales ! Et Mihailovitch, qui passait presque tout son temps à composer bruyamment dans sa cabine très mal insonorisée, était presque aussi enchanté. Il ne doutait pas un instant que la diversion allait l'inspirer et le hausser à de nouveaux sommets de créativité.

Maggie M. se montrait philosophe : « Si nous avons la possibilité de sauver des vies, disait-elle en fixant Willis d'un air éloquent, comment pourrions-nous refuser ? »

Quant à Yva Merlin, Floyd avait fait un effort particulier pour lui expliquer la situation et il découvrit qu'elle la comprenait remarquablement bien. Et ce fut Yva, à sa profonde stupéfaction, qui posa la question à laquelle personne ne semblait avoir pensé : « Et si les Europiens ne veulent pas que nous atterrissions, même pour sauver nos amis ? »

Floyd la regarda d'un air parfaitement ahuri ; encore à présent, il lui était difficile de l'accepter comme une personne réelle, humaine, et il ne savait jamais si elle allait lui sortir une réflexion profonde ou une stupidité.

— C'est une très bonne question, Yva. Croyez-moi, j'y songe.

Il disait la vérité ; jamais il ne pourrait mentir à Yva Merlin. Ce serait, en quelque sorte, un sacrilège.

Les premières volutes de vapeur apparurent au-dessus de la bouche du geyser. Elles s'élevèrent dans le vide en spirales irrégulières et s'évaporèrent rapidement sous le soleil brûlant.

Old Faithful toussota encore comme pour s'éclaircir la gorge. Une colonne d'un blanc de neige — étonnamment compacte — de cristaux de glace et de gouttes d'eau jaillit alors rapidement vers le ciel. Bien que prévenus, les spectateurs s'attendaient d'instinct à la voir se recourber et retomber, mais naturellement elle n'en fit rien. Elle continua de monter, en s'élargissant à peine, jusqu'à rejoindre la vaste couverture nuageuse de la comète. Floyd remarqua, non sans satisfaction, que le pipe-line était agité de tremblements, signe que l'eau s'y précipitait.

Dix minutes plus tard, un conseil de guerre se réunit sur la passerelle. Le capitaine Smith, toujours d'une humeur massacrante, se contenta de saluer Floyd d'un bref signe de tête, laissant la parole à son second, vaguement embarrassé.

— Ma foi, ça marche fort bien, c'en·est même étonnant. À cette allure, nous remplirons nos réservoirs en vingt heures, mais il nous faudra peut-être sortir et mieux ancrer le tuyau.

— Et les saletés ? demanda quelqu'un.

Le second exhiba une bulle transparente pleine de liquide incolore.

— Les filtres ont retenu toutes les impuretés, jusqu'à

166

quelques microns. Pour plus de sûreté, nous allons filtrer deux fois, en passant d'un réservoir à l'autre. Pas de piscine, hélas, jusqu'à ce que nous ayons dépassé Mars.

Cela provoqua quelques rires, on en avait grand besoin, et même le capitaine se détendit un peu.

— Nous allons d'abord essayer les moteurs à la poussée minimale pour nous assurer qu'il n'y a pas d'anomalies opérationnelles dans l'H_2O de Halley. S'il y en a, nous abandonnerons complètement l'idée et rentrerons chez nous avec la bonne vieille eau de la Lune.

Un « ange » passa, pendant lequel tout le monde attendit que quelqu'un parle. Le capitaine Smith rompit le silence gênant :

— Comme vous le savez tous, cette idée ne me plaît pas du tout. En fait...

Il s'interrompit brusquement ; tout le monde savait qu'il avait envisagé d'envoyer sa démission à Sir Lawrence, un geste quelque peu ridicule, tout de même, dans ces circonstances.

— Mais d'autres éléments sont intervenus dans les dernières heures, reprit-il. Sir Lawrence a approuvé ce projet, à condition bien sûr que des difficultés fondamentales ne surgissent pas de nos essais. De plus — et c'est là une surprise, que je ne m'explique pas plus que vous —, le Conseil spatial mondial a non seulement donné son approbation mais a *exigé* que nous effectuions ce déroutement, en prenant à sa charge tous les frais. Comprenne qui pourra. Mais...

Il regarda d'un air sceptique la petite bulle d'eau que Heywood Floyd avait haussée vers la lumière et secouait doucement.

— Mais j'ai encore un souci. Je suis un mécanicien, pas un chimiste, bon Dieu. Cette eau paraît propre, d'accord, mais quelle sera son action sur le revêtement des réservoirs ?

Floyd ne comprit jamais ce qui lui était passé par la tête ; une telle témérité n'était pas du tout dans son caractère. Peut-être était-il simplement agacé par ce débat et voulait-il en finir. Ou peut-être estimait-il nécessaire de secouer un peu l'honneur du capitaine.

D'un mouvement vif, il fit sauter le bouchon de la bulle et la portant à sa bouche avala environ 20 centilitres de comète.

— Voilà votre réponse, capitaine, dit-il quand il reposa la fiole.

— *Ça*, déclara le médecin du bord une demi-heure plus tard, c'était un des actes les plus stupides que j'aie jamais vus ! Vous ne savez donc pas qu'il y a des cyanures et des cyanogènes et Dieu sait quoi encore là-dedans ?

— Bien sûr que si, répliqua Floyd en riant. J'ai vu les analyses, rien que quelques parcelles sur un million. Pas de quoi s'inquiéter. Mais j'ai tout de même eu une surprise, ajouta-t-il gaiement.

— Ah oui ? Laquelle ?

— S'il était possible d'expédier ça sur la Terre, on ferait fortune en le vendant sous le nom de Purgatif de Halley !

34. LAVAGE DE VOITURE

Maintenant que les dés étaient jetés, toute l'atmosphère d'*Univers* changeait. Plus de discussions ; tout le monde collaborait. Personne ne dormit beaucoup pendant les deux rotations suivantes de la comète, cent heures de temps terrestre.

La première journée de Halley fut consacrée à un prélèvement encore assez prudent d'Old Faithful mais quand le geyser cessa de jaillir, vers le soir, la technique était complètement maîtrisée. Plus de mille tonnes d'eau avaient été embarquées ; la prochaine période de jour suffirait amplement pour le reste.

Heywood Floyd évitait le capitaine, pour ne pas tenter le diable. D'ailleurs, Smith avait mille choses à faire, parmi lesquelles n'entrait pas cependant le calcul de la nouvelle orbite : celle-ci avait été vérifiée et revérifiée sur la Terre.

L'idée était brillante, cela ne faisait plus de doute, et l'économie était encore plus grande que l'avait supposé Jolson. En refaisant le plein sur Halley, *Univers* éliminait les deux principaux changements d'orbite nécessaires pour le retour sur Terre ; il pourrait maintenant foncer tout droit vers son but, sous une accélération maximale et gagner ainsi plusieurs semaines. En dépit des risques possibles, tout le monde applaudissait à la manœuvre.

Enfin, presque tout le monde.

Sur Terre, le mouvement «Touche pas à Halley», précipitamment créé, s'indignait. Ses membres (236 seulement, mais ils s'y entendaient pour faire leur publicité) estimaient que le pillage d'un corps céleste ne se justifiait pas, même pour sauver des vies humaines. Ils refusaient de se laisser amadouer, même quand on faisait observer qu'*Univers* ne faisait qu'emprunter une substance que la comète aurait perdue, n'importe comment. C'était, disaient-ils, une question de principe. Leurs communiqués rageurs provoquaient à bord d'*Univers* une détente amusée dont on avait grand besoin.

Toujours prudent, le capitaine Smith procéda aux premiers essais à puissance réduite avec un des propulseurs de contrôle d'attitude ; s'il tombait en panne, on pourrait s'en passer. Il n'y eut pas d'anomalies, le moteur se comporta exactement comme s'il fonctionnait avec la meilleure eau distillée provenant des mines lunaires.

Il fit ensuite un essai avec le principal moteur central, le numéro un ; si celui-là était endommagé, il n'y aurait aucune perte de maniabilité, seulement de poussée totale. Le vaisseau demeurerait entièrement contrôlable mais l'accélération de pointe serait diminuée de vingt pour cent.

Encore une fois, il n'y eut aucun problème. Même les plus sceptiques recommencèrent à se montrer polis avec Heywood Floyd et le lieutenant Jolson cessa d'être un paria.

Le décollage fut fixé à la fin de l'après-midi, juste avant qu'Old Faithful cesse de jaillir. (Serait-il encore là pour accueillir les prochains visiteurs dans soixante-seize ans ? se demandait Floyd. Peut-être ; il y avait déjà des traces de son existence sur les vieilles photos de 1910.)

Il n'y eut pas de compte à rebours spectaculaire, comme autrefois au cap Canaveral. Une fois certain que tout était en ordre, le capitaine Smith appliqua une simple poussée de cinq tonnes au numéro un et *Univers* s'éleva lentement du cœur de la comète.

L'accélération était modeste mais le feu d'artifice fut impressionnant et, pour la plupart des observateurs, totalement inattendu. Jusqu'à présent, les jets des moteurs principaux avaient été pratiquement invisibles, uniquement formés d'oxygène et d'hydrogène hautement ionisés. Même quand les gaz s'étaient suffisamment refroidis pour se combiner chimiquement, à des centaines de kilomètres, la réaction n'avait dégagé aucune lumière dans le spectre visible.

Mais à présent *Univers* s'éloignait de Halley sur une colonne incandescente trop lumineuse pour l'œil ; cela ressemblait à un pilier de flamme. Quand cette flamme touchait le sol, elle faisait exploser la roche en fragments épars. En quittant Halley, *Univers* y gravait sa signature, comme un graffiti cosmique.

La plupart des passagers, accoutumés à s'élever dans l'espace sans trace visible, furent considérablement surpris. Floyd attendit l'inévitable explication ; un de ses petits plaisirs était de surprendre Willis en flagrant délit d'erreur scientifique, mais il en avait très rarement l'occasion. Et même dans ces cas-là, Willis avait toujours une excuse valable.

— Du carbone, dit-il. Du carbone incandescent, exactement comme la flamme d'une bougie, mais légèrement plus brûlant.

— Légèrement, murmura Floyd.

— Nous ne brûlons plus, si vous me passez l'expression (et Floyd laissa passer) de l'eau pure. Elle a été soigneusement filtrée, d'accord, mais elle contient beaucoup de carbone colloïdal. Ainsi que des éléments qui ne pourraient être éliminés que par la distillation.

— Très impressionnant mais je suis un peu inquiet, dit Greenberg. Toute cette radiation... Est-ce que ça ne va pas détériorer les moteurs et gravement surchauffer le vaisseau ?

C'était une très bonne question, qui avait causé quelque

anxiété. Floyd attendit que Willis y réponde, mais l'astucieux savant lui renvoya la balle.

— Je préfère laisser au professeur Floyd le soin de vous donner toutes les explications. C'était son idée, après tout.

— Celle de Jolson, s'il vous plaît. Mais c'est juste. En réalité, il n'y a pas de problème ; quand nous sommes en pleine poussée, tout ce feu d'artifice est à mille kilomètres derrière nous. Nous n'avons pas à nous en soucier.

Le vaisseau planait à présent à environ deux mille mètres au-dessus du noyau ; sans l'éblouissement des vapeurs d'échappement, on aurait pu admirer la face ensoleillée de l'astre minuscule déployée au-dessous. À cette altitude — ou distance — la colonne d'Old Faithful s'élargissait légèrement. Elle ressemblait, pensa subitement Floyd, au grand jet d'eau de Genève. Il ne l'avait pas vu depuis cinquante ans et se demanda s'il marchait encore, là-bas.

Le capitaine Smith vérifiait les commandes et faisait lentement pivoter le vaisseau, sur les axes Y et Z. Tout paraissait fonctionner à la perfection.

— Temps zéro de la mission dans dix minutes, annonçat-il. Point 0,1 G pendant cinquante heures, 0,2 G jusqu'à la manœuvre de retournement, dans cent cinquante heures.

Il prit un temps, pour laisser à ses auditeurs le temps d'absorber l'information ; jamais aucun vaisseau n'avait tenté de maintenir une accélération aussi élevée pendant si longtemps. Si *Univers* n'était pas capable de freiner correctement, il passerait à la postérité, dans les livres d'histoire, comme le premier missile interstellaire habité.

Le vaisseau s'inclinait maintenant vers l'horizontale — si un tel mot pouvait signifier quelque chose dans un environnement de quasi totale apesanteur — et se dirigeait directement vers la blanche colonne de brume et de cristaux de glace jaillissant toujours de la comète. *Univers* commença à s'en approcher...

— Mais qu'est-ce qu'il fabrique ? demanda anxieusement Mihailovitch.

Le capitaine, s'attendant évidemment à cette question,

reprit la parole. Il avait complètement retrouvé sa bonne humeur et il y avait même de l'amusement dans sa voix :

— Plus qu'une petite corvée avant de partir. Ne vous inquiétez pas, je sais ce que je fais. Et le second est d'accord avec moi. N'est-ce pas ?

— Oui, capitaine, mais j'avoue que j'ai d'abord cru que vous plaisantiez.

— Qu'est-ce qui se passe ? demanda Willis, pour une fois pris au dépourvu.

Le vaisseau était à présent agité d'un léger roulis tout en se déplaçant toujours lentement vers le geyser. À cette distance, une centaine de mètres, il rappelait de plus en plus à Floyd le célèbre jet d'eau de Genève.

Il ne va tout de même pas nous y faire passer...

Mais si. *Univers* vibra un peu en pénétrant dans la gigantesque gerbe d'écume. Il tangua très légèrement, comme s'il forait un trou dans le geyser géant. Sur les écrans d'observation et par les hublots, on ne voyait qu'une blancheur laiteuse.

L'opération ne dura en tout qu'une dizaine de secondes et puis ils émergèrent de l'autre côté. Sur la passerelle, les officiers applaudirent spontanément ; mais les passagers, même Floyd, avaient l'impression d'avoir été victimes d'une mauvaise farce.

Avec une grande satisfaction, le capitaine annonça alors :

— Maintenant, nous sommes prêts à partir. Nous avons de nouveau un vaisseau bien propre.

Pendant la demi-heure suivante, plus de dix mille observateurs amateurs, sur la Terre et la Lune, rapportèrent que la comète avait doublé d'éclat. Le Comet Watch Network, le réseau de surveillance de la comète, fut submergé d'appels, ses standards sautèrent et les astronomes professionnels enragèrent.

Mais le grand public était ravi et quelques jours plus tard, *Univers* fournit un spectacle encore plus sensationnel, quelques heures avant l'aube.

Accélérant de plus de dix mille kilomètres-heure toutes

les heures, le vaisseau était maintenant de l'autre côté de l'orbite de Vénus. Il allait encore se rapprocher du Soleil avant d'effectuer son passage à la périhélie — bien plus rapidement que n'importe quel corps céleste naturel — et de se diriger vers Lucifer.

Alors qu'il passait entre la Terre et le Soleil, la queue de carbone incandescent de mille kilomètres devint aisément visible comme une étoile de quatrième magnitude, dont le mouvement fut visible pendant une heure parmi les constellations du matin. Au tout début de sa mission de sauvetage, *Univers* était suivi par des milliers d'êtres humains.

35. À LA DÉRIVE

LA NOUVELLE INATTENDUE, L'ANNONCE QUE LE VAISSEAU jumeau *Univers* était déjà en route — et pourrait arriver bien plus tôt qu'on osait l'espérer — eut sur le moral de l'équipage de *Galaxy* un effet nettement euphorique. Le fait qu'ils fussent à la dérive sur un océan étranger, entourés de monstres inconnus, sembla soudain moins grave, et les monstres eux-mêmes moins impressionnants, bien qu'ils fissent de temps en temps des apparitions intéressantes.

On les apercevait à l'occasion mais ils ne s'approchaient jamais du vaisseau, même quand des déchets étaient jetés par-dessus bord. Ce n'était pas surprenant ; cela révélait que ces grands animaux, contrairement à leurs homologues terrestres, avaient un bon système de communication. Peut-être étaient-ils davantage apparentés aux dauphins qu'aux requins.

Il y avait de nombreux bancs de petits poissons, auxquels personne n'aurait accordé un regard sur un marché terrestre. Après plusieurs tentatives, un des officiers — passionné de pêche à la ligne — en attrapa un avec un hameçon sans appât. Il ne le fit pas passer par le sas — le capitaine l'aurait d'ailleurs interdit — mais il le mesura et le photographia avant de le rejeter à la mer.

L'orgueilleux pêcheur dut tout de même payer le prix de sa performance. La combinaison spatiale à pressurisation partielle qu'il avait portée pendant son exploit s'était imprégnée de l'odeur caractéristique d'œufs pourris de l'hydrogène sulfureux et quand il la rapporta à bord, il fut la cible d'innombrables plaisanteries d'un goût douteux. C'était un nouveau rappel d'une biochimie étrangère, implacablement hostile.

Malgré les supplications des savants, la pêche à la ligne fut désormais interdite. On pouvait observer et prendre des notes mais rien d'autre. D'ailleurs, il y avait à bord des géologues planétaires, pas de naturalistes. Personne n'avait songé à apporter du formol, qui probablement aurait perdu ses propriétés sur cette planète.

Une fois, le vaisseau dériva pendant plusieurs heures parmi des amas ou des nappes d'une sorte de substance vert vif qui formait des ovales d'une dizaine de mètres de large, tous approximativement de la même taille. *Galaxy* passait au travers sans rencontrer de résistance et ils se reformaient rapidement derrière lui. Il devait s'agir de quelconques organismes coloniaux.

Un matin, l'officier de quart sursauta en voyant un périscope émerger de la mer et se trouva face à un œil bleu paisible qui, raconta-t-il quand il fut remis de son émotion, avait l'air de celui d'une vache malade. L'œil le considéra tristement pendant quelques instants, sans intérêt apparent, et retourna lentement dans l'océan.

Rien ne se déplaçait très vite, pour une raison évidente. C'était encore une planète de basse énergie, il n'y avait aucune trace de cet oxygène ambiant qui permettait aux animaux de la Terre de vivre grâce à une sorte de combustion lente, depuis l'instant où ils commençaient à respirer à leur naissance. Seul le « requin » de la première rencontre avait manifesté une activité violente... dans son dernier spasme d'agonie.

Peut-être était-ce à l'avantage des hommes. Même alourdis par leurs combinaisons spatiales, il n'y avait probablement rien, sur Europe, qui pût les rattraper, à supposer qu'ils eussent été poursuivis.

Le capitaine Laplace était amusé d'avoir dû remettre le commandement de son « navire » au commissaire ; il se demanda si cette situation s'était déjà produite dans les annales de l'espace et de la mer.

À vrai dire, M. Lee n'avait pas grand-chose à faire. *Galaxy* flottait verticalement, émergeant d'un tiers, en prenant une gîte légère sous un vent qui le poussait régulièrement à cinq nœuds. Il n'y avait que quelques fuites sous la ligne de flottaison, faciles à surveiller et à colmater. Et, ce qui était tout aussi important, la coque était toujours étanche à l'air.

Les instruments de navigation étaient inutilisables mais ils savaient exactement où ils étaient. Ganymède leur donnait toutes les heures leur position exacte, en se basant sur leur signal de secours, et s'ils continuaient de suivre le même cap, ils toucheraient terre dans trois jours, sur une grande île. Mais s'ils la manquaient, ils se dirigeraient vers le large, vers la zone bouillante située immédiatement au-dessous de Lucifer. Sans être réellement a priori catastrophique, ce n'était pas une perspective engageante ; le capitaine par intérim Lee passait beaucoup de temps à chercher les moyens de l'éviter.

Des voiles — mêmes s'il avait eu de la toile et du gréement — n'auraient guère changé leur direction. Il avait mouillé des ancres flottantes de fortune à cinq cents mètres, cherché des courants éventuellement utiles et n'en avait pas trouvé. Il n'avait pas non plus trouvé le fond ; impossible de savoir à combien de milliers de mètres il était.

Cette grande profondeur était peut-être une bonne chose ; elle les mettait à l'abri des séismes sous-marins qui secouaient continuellement cet océan tout neuf. Parfois,

Galaxy sursautait, comme sous un coup de marteau géant, quand une lame de fond passait. Quelques heures plus tard, un tsunami de plusieurs dizaines de mètres de haut allait sans doute écraser une côte europienne ; mais là au large, en eau profonde, ces vagues mortelles n'étaient que des ondulations.

Plusieurs fois, des tourbillons subits furent observés au loin ; ils paraissaient très dangereux — des maelströms peut-être capables d'aspirer *Galaxy* à des profondeurs inconnues — mais heureusement, ils étaient assez loin pour que le vaisseau ne fasse que quelques petits tours sur lui-même.

À un moment donné, une énorme bulle de gaz s'éleva et creva à la surface, à cent mètres à peine. Elle était très impressionnante et tout le monde se fit l'écho de la réflexion soulagée du médecin :

— Dieu soit loué, nous ne pouvons pas la sentir !

C'est étonnant comme la plus bizarre des situations peut devenir de la routine. En quelques jours, la vie à bord de *Galaxy* prit un cours régulier et le principal souci du capitaine Laplace fut d'occuper son équipage. Rien n'est pire pour le moral que l'inaction et il se demandait comment les capitaines des anciens long-courriers de la marine trouvaient du travail à leurs hommes pendant ces interminables traversées. Ils ne pouvaient quand même pas passer tout leur temps à grimper dans les haubans ou à laver les ponts.

Avec les savants, le problème était exactement inverse. Ils ne cessaient de proposer des expériences, qui devaient être soigneusement considérées avant d'être approuvées. S'il les avait laissés faire, ils auraient monopolisé les réseaux de communication, à présent extrêmement limités, de son vaisseau.

Car le complexe d'antennes principal occupait une position précaire sur la ligne de flottaison et *Galaxy* ne pouvait plus parler directement à la Terre. Tout devait être relayé par Ganymède, sur une longueur d'ondes de quelques malheureux mégahertz. Un seul canal vidéo direct avait la prééminence sur tout le reste et le capitaine devait résister aux clameurs des réseaux terrestres. Ils n'auraient d'ailleurs pas grand-chose à montrer à leur public, à part la mer, les aménagements exigus du vaisseau spatial et un équipage qui, tout en gardant bon moral, avait un aspect de plus en plus hirsute.

Une masse insolite de communications était adressée au second Chris Floyd, dont les réponses chiffrées étaient si brèves qu'elles ne devaient pas contenir beaucoup d'informations. Laplace décida finalement d'avoir une conversation avec le jeune homme.

— Monsieur Floyd, lui dit-il dans l'intimité de sa cabine, je vous serais reconnaissant de m'éclairer sur votre occupation à temps partiel.

Floyd parut embarrassé et se raccrocha à la table alors qu'une rafale soudaine secouait un peu le vaisseau.

— Je le voudrais bien, mais je n'y suis pas autorisé.

— Par qui, puis-je vous le demander ?

— Franchement, je ne sais pas trop.

C'était absolument vrai. Il soupçonnait que c'était Astropol mais les deux messieurs d'un calme impressionnant qui lui avaient donné des instructions, sur Ganymède, avaient inexplicablement omis de le lui préciser.

— En qualité de capitaine de ce vaisseau, et particulièrement dans les circonstances actuelles, je voudrais bien savoir ce qui se passe à mon bord. Si nous nous en tirons, je vais passer les prochaines années de ma vie devant des commissions d'enquête. Et vous aussi, fort probablement.

Floyd eut un sourire ironique.

— Ça ne vaudrait pas la peine d'être sauvés, on dirait. Tout ce que je sais, c'est qu'en haut lieu, un service s'attendait à des ennuis durant cette mission, mais ne savait pas sous quelle forme ils arriveraient. On m'a simplement dit d'ouvrir l'œil. Je n'ai pas servi à grand-chose, je le crains, mais j'imagine que j'étais la personne la plus qualifiée qu'ils avaient sous la main à ce moment-là.

— Je ne pense pas que vous deviez vous faire des reproches. Qui aurait pu croire que Rose...

Le capitaine s'interrompit, frappé par une pensée subite.

— Soupçonneriez-vous quelqu'un d'autre ? demanda-t-il, en se retenant de hasarder : « Moi, par exemple ? » pour ne pas paraître complètement paranoïaque.

Floyd réfléchit puis apparemment se décida :

— J'aurais peut-être dû vous en parler, capitaine, mais vous aviez tant à faire... Je suis sûr que le Pr Van der Berg est mêlé à tout cela, je ne sais comment. C'est un Mède, vous savez, et ces gens sont bizarres. Je dois avouer que je ne les comprends pas très bien.

Il aurait pu avouer aussi qu'il ne les aimait pas. Trop d'esprit de clan, pas vraiment amicaux avec les outre-mondiens. On ne pouvait guère leur en vouloir, bien sûr ; tous les pionniers qui s'efforçaient de civiliser un pays sauvage devaient être ainsi.

— Van der Berg... Hum. Et les autres savants ?

— Tous ont subi une inspection, naturellement. Rien d'anormal, chez aucun d'eux.

Ce n'était pas tout à fait vrai. Le Pr Simpson avait plus de femmes que ne le permettait la stricte légalité, c'est-à-dire une seule à la fois, et le Pr Higgins avait une importante collection de livres fort curieux. Le lieutenant Floyd ne savait pas très bien pourquoi on s'était donné la peine de lui communiquer ces informations ; ses mentors cherchaient peut-être à l'impressionner par leur pouvoir d'investigation. Il se dit que le service d'Astropol (ou de quoi que ce fût) avait quelques aspects amusants.

— Très bien, dit le capitaine en donnant congé au second. Mais je vous prie de me tenir au courant, si vous découvrez quelque chose, n'importe quoi, qui risque de compromettre la sécurité du vaisseau.

Dans les circonstances présentes, il était difficile d'imaginer ce que cela pourrait être. Des risques supplémentaires paraissaient plutôt inconcevables.

36. LA CÔTE INCONNUE

Vingt-quatre heures avant qu'on aperçoive l'île, on ne savait toujours pas si *Galaxy* n'allait pas la manquer et se trouver poussé vers le plein océan. Sa position, suivie par le radar de Ganymède, était affichée sur un grand tableau que tout le monde à bord surveillait anxieusement plusieurs fois par jour.

Mais si le vaisseau touchait terre, ses problèmes ne feraient peut-être que commencer. Il pourrait s'écraser sur une côte rocheuse, au lieu d'être gentiment déposé sur une plage.

Le capitaine de fortune Lee avait vivement conscience de toutes ces possibilités. Il avait lui-même fait naufrage, une fois, avec un yacht dont les moteurs étaient tombés en panne à un moment critique, au large de l'île de Bali. Il n'avait aucune envie de recommencer, surtout sur une planète où il n'y avait pas de gardes-côtes pour vous porter secours.

L'ironie de leur triste sort ne lui échappait pas. Ils étaient

181

là, à bord d'un des moyens de transport les plus perfectionnés jamais conçus par l'homme — capable de traverser le système solaire ! — et pourtant ils ne pouvaient le faire dévier de quelques mètres de son cap. Néanmoins, ils n'étaient pas totalement réduits à l'impuissance ; ils avaient encore quelques atouts dans leur jeu.

Sur ce globe à la courbe abrupte, l'île n'était qu'à cinq kilomètres quand ils l'aperçurent. Au grand soulagement de Lee, aucune de ces falaises qu'il redoutait n'était visible, mais pas non plus la plage qu'il espérait. Les géologues l'avaient déjà prévenu qu'il était trop tôt, de quelques millions d'années, pour trouver du sable ; les moulins d'Europe n'avaient pas encore eu le temps de faire leur travail.

Dès qu'on fut certain de se diriger vers la terre, Lee donna l'ordre de vider les principaux réservoirs de *Galaxy*, qu'il avait fait inonder presque tout de suite après l'amerrissage. Quelques heures très inconfortables suivirent, durant lesquelles un quart au moins de l'équipage ne fut pas en état de s'intéresser à la manœuvre.

Galaxy s'éleva de plus en plus haut sur l'eau, s'y balançant de plus en plus follement, avant de tomber avec un gigantesque *plouf* à la surface, en position horizontale, comme un cadavre de baleine au temps où les braconniers leur pompaient de l'air dans le corps pour éviter qu'elles coulent. Lorsque le vaisseau se fut ainsi allongé, Lee régla de nouveau la flottaison, jusqu'à ce que l'arrière s'enfonçât un peu et que la passerelle avant fût juste au-dessus de l'eau.

Comme il s'y attendait, *Galaxy* se plaça alors en travers du vent. Un autre quart de l'équipage se vit alors contraint de s'arrêter mais Lee avait bien assez d'assistants pour mouiller l'ancre flottante qu'il avait préparée en vue de cette dernière manœuvre. Ce n'était qu'un radeau de fortune, fait de caisses vides assemblées tant bien que mal, mais son tirant permit au vaisseau de se pointer vers la terre proche.

Ils voyaient maintenant où ils allaient atterrir — avec une lenteur désespérante : sur une étroite bande de grève couverte de pierres. Faute de sable, c'était le meilleur choix...

La passerelle était déjà au-dessus de la plage lorsque *Galaxy* s'échoua ; Lee joua sa dernière carte. Il n'avait fait qu'un seul essai, n'osant insister davantage de peur que le mécanisme malmené tombât en panne.

Pour la dernière fois, *Galaxy* déploya son train d'atterrissage. Il y eut un concert de grincements, un frémissement et des secousses quand les patins, sous la coque, s'enfoncèrent dans la surface étrangère. Le vaisseau était maintenant solidement ancré, contre vents et marées, sur la berge de cet océan... sans marées.

Galaxy avait trouvé là, indiscutablement, son dernier lieu de repos... et peut-être, vraisemblablement, celui de son équipage et de ses passagers.

V. Parmi les astéroïdes

37. STAR

UNIVERS SE DÉPLAÇAIT MAINTENANT À UNE TELLE VITESSE que son orbite ne ressemblait plus du tout, même de loin, à celle d'un objet naturel du système solaire. Mercure, la plus proche du Soleil, ne dépasse guère les cinquante kilomètres-seconde au périhélie ; *Univers* avait atteint le double de cette vitesse dès le premier jour, et la moitié seulement de l'accélération à laquelle il parviendrait quand il serait allégé de plusieurs tonnes d'eau.

Pendant quelques heures, alors qu'ils passaient à l'intérieur de son orbite, Vénus devint le plus éblouissant de tous les corps célestes, après le Soleil et Lucifer. Son minuscule disque était tout juste visible à l'œil nu mais même les télescopes les plus puissants du bord ne fournissaient pas le moindre repère. Vénus gardait ses secrets, aussi jalousement qu'Europe.

En se rapprochant encore du Soleil — bien à l'intérieur de l'orbite de Mercure — *Univers* n'empruntait pas seulement un raccourci mais bénéficiait d'une poussée supplémentaire sous l'effet du champ solaire. Comme la Nature équilibre toujours ses comptes, le Soleil perdait un peu de vélocité dans la transaction, mais l'effet ne serait pas mesurable avant quelques millénaires.

Le capitaine Smith profita du passage périhélique du vaisseau pour restaurer un peu du prestige que ses réticences lui avaient fait perdre.

— Vous savez maintenant, dit-il, pourquoi j'ai fait passer le vaisseau au travers d'Old Faithful. Si nous n'avions pas lavé la coque de toute cette saleté, nous subirions aujourd'hui une grave surchauffe. Je doute même que les systèmes de régulation auraient pu supporter une telle charge thermique, presque dix fois supérieure à celle rencontrée au niveau de la Terre.

En regardant — à travers des filtres presque noirs — le Soleil hideusement grossi, ses passagers le croyaient sans peine. Ils furent tous plus qu'heureux quand il reprit sa taille normale, et continua de rapetisser sur l'arrière d'*Univers* alors que le vaisseau coupait l'orbite de Mars, pour entamer la dernière phase de son parcours.

Les cinq VIP s'étaient tous adaptés, chacun à sa façon, au changement inattendu de leur vie. Mihailovitch composait avec fureur et se montrait rarement, sauf aux repas où il racontait des histoires invraisemblables et taquinait toutes les victimes à sa portée, en particulier Willis. Greenberg s'était nommé, sans que personne protestât, membre honoraire de l'équipage et passait une grande partie de son temps sur la passerelle. Maggie M. considérait la situation avec un amusement ironique.

— Les écrivains, observa-t-elle, ont coutume de se plaindre constamment de ne pouvoir travailler parce qu'on les interrompt constamment ; ils rêvent d'un endroit où rien ne les dérangerait, aucune obligation, les phares et les prisons étant leurs exemples favoris. Alors je n'ai rien à dire, à ceci près que mes demandes de matériel de recherche sont sans cesse retardées par des messages prioritaires.

Victor Willis tenait à peu près le même raisonnement ; lui aussi s'était vaillamment attelé à divers projets à long terme.

Et il avait une raison supplémentaire de rester enfermé dans sa cabine ; sa barbe renaissante lui donnait l'air d'être mal rasé, il faudrait plusieurs semaines avant qu'il ne soit présentable.

Yva Merlin passait chaque jour des heures dans la salle de projection pour revoir — expliquait-elle — ses classiques. Heureusement, la cinémathèque d'*Univers* avait pu être installée à temps pour le voyage ; si la collection était encore relativement réduite, elle était bien suffisante pour occuper plusieurs vies entières. Toutes les œuvres célèbres de l'art visuel y figuraient, depuis l'aube clignotante du cinématographe.

Yva connaissait la plupart des films et ne demandait qu'à faire partager sa science. Floyd, adorait l'écouter parce qu'alors elle devenait vivante, humaine et perdait sa rigidité d'icône. Il trouvait en même temps triste et curieux qu'elle ne pût établir un contact avec le monde réel que par l'intermédiaire de l'univers artificiel des images.

Un des moments les plus singuliers de la vie, pourtant fertile en événements, de Heywood Floyd fut celui où il se trouva assis dans la pénombre juste derrière Yva, quelque part dans les environs de Mars, regardant avec elle la première version d'*Autant en emporte le vent.* Par moments, les profils des deux célèbres Scarlett se superposaient presque et il pouvait les comparer, bien qu'il fût impossible de dire laquelle était la meilleure actrice ; chacune avait son propre talent.

Quand la salle se ralluma, il fut stupéfait de voir qu'Yva pleurait. Il lui prit la main et lui dit tendrement :

— Moi aussi j'ai pleuré quand Bonny est morte.

Yva sourit faiblement.

— Je pleurais en réalité pour Vivien. Quand nous tournions le remake, j'ai lu beaucoup d'ouvrages sur elle. Elle a eu une existence si tragique ! Et ici entre les planètes, je pensais à une chose que Larry a dite, quand il l'a ramenée de Ceylan après sa dépression nerveuse. Il a déclaré à ses amis : « J'ai épousé une femme du cosmos. »

Elle s'interrompit et une nouvelle larme coula (assez théâ-

189

tralement, ne put s'empêcher de penser Floyd) le long de sa joue.

— Et tenez, une coïncidence encore plus étrange : elle a tourné son dernier film il y a exactement cent ans. Et savez-vous ce que c'était ?

— Dites-le moi, étonnez-moi encore.

— J'imagine que cela surprendra Maggie, si elle écrit réellement le livre dont elle nous menace tous. Le tout dernier film de Vivien était *La Nef des fous*.

38. ICEBERGS DE L'ESPACE

MAINTENANT QU'ILS SE TROUVAIENT AVEC TELLEMENT DE temps libre à occuper, le capitaine Smith put accorder enfin à Victor Willis l'interview prévue par son contrat. Victor lui-même l'avait constamment reportée, à cause de ce que Mihailovitch persistait malicieusement à appeler son amputation. Mais comme il faudrait encore de longs mois avant qu'il eût retrouvé l'intégralité de sa personne, il avait finalement décidé de faire l'interview hors caméra ; sur Terre, le studio n'aurait qu'à pallier le manque d'images avec des extraits de la vidéothèque.

Ils étaient assis dans la cabine, sommairement meublée, du capitaine et savouraient un des excellents vins qui occupaient apparemment la majeure partie des bagages de Victor. Comme *Univers* allait couper ses moteurs de propulsion et poursuivre en vol balistique au cours des prochaines heures, c'était la dernière occasion avant plusieurs jours. Le vin en apesanteur, affirmait-il, était une abomination, il

191

refusait de mettre ses précieux millésimes dans des bulles en plastique qu'on pressait comme des tubes.

— Victor Willis, à bord du vaisseau spatial *Univers*, le vendredi 15 juillet 2061, 18 h 30. Nous ne sommes pas encore à mi-parcours mais nous avons déjà largement dépassé l'orbite de Mars et avons presque atteint notre vitesse maximale. Qui est de..., capitaine ?

— Mille cinquante kilomètres-seconde.

— Plus de mille kilomètres-seconde ! Près de quatre millions de kilomètres-heure !

L'étonnement de Victor Willis paraissait absolument authentique ; personne n'aurait deviné qu'il connaissait les paramètres orbitaux presque aussi bien que le capitaine. Mais il avait justement le talent de se mettre à la place du téléspectateur et non seulement de prévoir ses questions mais aussi de savoir ce qui allait éveiller son intérêt.

— Exactement, répondit le capitaine non sans fierté. Nous voyageons deux fois plus vite qu'aucun être humain ne l'a fait, depuis le commencement des temps.

C'était à moi de dire ça, pensa Victor, qui n'aimait pas être doublé par son interlocuteur. Mais, en bon professionnel qu'il était, il reprit vite ses esprits.

Il fit une pause, comme s'il consultait son célèbre petit mémo-bloc avec son écran directionnel.

— Toutes les vingt secondes, nous parcourons le diamètre de la Terre. Il nous faudra cependant encore dix jours pour arriver à Jupi... non ! Lucifer ! Ce qui donne une petite idée de l'échelle du système solaire... Et maintenant, capitaine, je vais aborder un sujet plutôt délicat, mais j'ai reçu beaucoup de questions à ce propos, la semaine dernière...

Oh non ! gémit Smith à part lui. On ne va pas recommencer avec les toilettes en apesanteur !

— En ce moment même, nous traversons le cœur de la ceinture d'astéroïdes...

Aïe ! pensa Smith, j'aurais encore préféré les toilettes.

— ... et bien que jamais aucun vaisseau spatial n'ait eu à souffrir d'une collision, est-ce que nous ne prenons pas un risque ? Il y a, après tout, littéralement des millions de corps célestes, les plus petits de la taille d'un ballon de plage, dans ce secteur de l'espace. Et quelques milliers seulement figurent sur les cartes.

— Plus de dix mille, tout de même.

— Mais il y en a des millions, dont nous ne savons rien.

— C'est vrai. Et même si nous les connaissions, ce ne serait pas d'un bien grand secours.

— Que voulez-vous dire ?

— Nous ne pouvons rien y faire.

— Pourquoi ?

Le capitaine Smith prit un temps de réflexion. Willis avait raison, le sujet était délicat ; la Direction générale lui taperait sévèrement sur les doigts si jamais il disait quelque chose risquant de dissuader de futurs voyageurs de la compagnie.

— Avant tout, l'espace est tellement gigantesque que même ici — comme vous l'avez dit, au cœur même de la ceinture d'astéroïdes — les risques de collision sont infinitésimaux. À titre d'exemple, si nous voulions vous montrer un astéroïde : ce que nous aurions de mieux à vous offrir c'est Hanuman, trois cents malheureux mètres de diamètre, mais nous ne nous en rapprocherons pas à moins de deux cent cinquante mille kilomètres.

— Mais Hanuman est gigantesque, à côté de tous les débris inconnus qui flottent par ici. Ça ne vous inquiète pas ?

— À peu près autant que vous vous inquiétez sur Terre d'être frappé par la foudre.

— À vrai dire, il s'en est fallu de peu pour moi, au sommet de Pike's Peak, dans le Colorado. L'éclair et le coup de tonnerre ont été simultanés. Mais vous devez reconnaître que le danger existe, et est-ce que nous ne l'aggravons pas en voyageant à une vitesse aussi fantastique ?

Willis connaissait parfaitement la réponse, bien sûr, mais une fois de plus il se mettait à la place des légions d'inconnus à l'écoute sur la planète qui s'éloignait à chaque seconde de mille kilomètres.

— C'est difficile à expliquer sans recourir à la mathématique, répondit le capitaine (combien de fois avait-il employé cette phrase, même si elle n'était pas vraie ?) mais il n'y a pas de rapport simple entre la vitesse et le risque. Heurter n'importe quoi serait catastrophique, aux vitesses actuelles des vaisseaux spatiaux ; si vous êtes à côté d'une bombe atomique, peu importe quand elle explose qu'elle soit dans la catégorie des kilotonnes ou des mégatonnes.

Ce n'était pas une déclaration particulièrement rassurante mais il ne voyait pas ce qu'il pourrait trouver de mieux. Sans laisser à Willis le temps d'insister, il poursuivit précipitamment :

— Et permettez-moi de vous rappeler que nous prenons ce euh... ce petit risque supplémentaire pour la meilleure des causes. Une petite heure peut sauver des vies humaines.

— Oui, bien sûr, nous le comprenons tous...

Willis s'interrompit ; il avait été sur le point d'ajouter « Je suis dans le même bateau » mais il se ravisa. Cela paraîtrait manquer de modestie, encore que la modestie n'eût jamais été son fort. Et puis il ne pouvait guère faire une vertu d'une nécessité ; il n'avait pas d'alternative, à présent, à moins de rentrer chez lui à pied.

— Tout cela, dit-il, m'amène à une autre question. Savez-vous ce qui s'est passé, il y a exactement un siècle et demi, dans l'Atlantique Nord ?

— En 1911 ?

— Eh bien, plus précisément en 1912...

Le capitaine Smith devina ce qui allait venir et refusa de tendre la perche à son interviewer en feignant l'ignorance.

— Vous faites allusion au *Titanic*.

— Précisément, dit Willis en masquant habilement sa déception. Vingt personnes au moins, qui pensent toutes être seules à l'avoir fait, ont établi le rapprochement.

— Quel rapprochement ? Le *Titanic* prenait des risques inacceptables, uniquement pour tenter de battre un record.

Il faillit ajouter « et il n'avait pas assez de canots de sauvetage » mais se retint à temps, heureusement, en se souvenant que l'unique navette du vaisseau ne pouvait pas transporter plus de cinq personnes. Si Willis l'entraînait sur ce terrain-là, les explications n'en finiraient pas.

— D'accord, je reconnais que l'analogie est tirée par les cheveux. Mais il y a tout de même un autre parallèle saisissant que tout le monde a relevé. Est-ce que par hasard vous vous rappelez le nom du premier et dernier capitaine du *Titanic*?

— Je n'en ai pas la moindre...

Et le capitaine Smith se tut, bouche bée.

— Précisément, dit encore une fois Victor Willis avec un sourire satisfait.

Le capitaine Smith aurait volontiers étranglé tous ces chercheurs amateurs. Mais il ne pouvait guère reprocher à ses parents de lui avoir transmis le plus courant des patronymes anglais.

39. LA TABLE DU CAPITAINE

IL ÉTAIT DOMMAGE QUE LES OBSERVATEURS, SUR TERRE ET outre-Terre, ne puissent participer aux conversations moins officielles à bord d'*Univers*. Une routine régulière s'était établie dans la vie du bord, ponctuée par quelques habitudes dont la plus importante, et la plus ancienne, était la Table du Capitaine.

À 18 heures précises, les six passagers et les cinq officiers qui n'étaient pas de quart se retrouvaient pour dîner avec le capitaine Smith. Il n'était évidemment pas question de la tenue de soirée autrefois de rigueur à bord des palaces flottants de l'Atlantique Nord, mais on pouvait tout de même relever quelques efforts d'élégance. On pouvait toujours compter sur Yva pour arborer un nouveau bijou, broche, bague, collier ou ruban, un parfum inédit provenant d'une réserve apparemment inépuisable.

Si la poussée était en marche, le repas commençait par un potage, mais si le vaisseau naviguait sur son élan en apesanteur, il y avait un choix de hors-d'œuvre. Quoi que proposât le menu, avant le plat de résistance le capitaine faisait part des dernières nouvelles, ou s'efforçait de démentir les dernières rumeurs, généralement alimentées par des émissions de la Terre ou de Ganymède.

Accusations et réfutations volaient tous azimuts et les hypothèses les plus fantastiques étaient proposées pour expliquer le détournement de *Galaxy*. Toutes les organisations secrètes connues et bien d'autres purement imaginaires étaient soupçonnées. Mais les hypothèses formulées avaient toutes un point commun : aucune n'était capable de donner un mobile plausible.

Le seul élément concret connu ne faisait que renforcer le mystère. Une enquête sérieuse d'Astropol avait établi, de façon surprenante, que la peu regrettée « Rose McMahon » était en réalité Rose Mason, née à North London, recrutée par la police de Londres et, après des débuts prometteurs, révoquée pour activités racistes. Elle avait émigré en Afrique... et disparu. De toute évidence, elle s'était laissé entraîner dans les méandres de la politique de ce malheureux continent. Shaka était fréquemment mentionné, ce qui provoquait chaque fois un démenti des USSA.

Évidemment, le lien entre Rose MacMahon et Europe était interminablement discuté autour de la table, sans plus de résultat, et d'autant plus que Maggie M. avait avoué qu'à un moment donné elle avait eu l'intention d'écrire un roman sur Shaka, du point de vue d'une des mille malheureuses femmes du despote zoulou. Mais plus elle étudiait le projet, plus il lui répugnait.

— Quand j'ai fini par abandonner Shaka, reconnut-elle avec une certaine ironie, j'avais compris les sentiments que peut éprouver un Allemand moderne par rapport à Hitler.

Ce genre de confidence se renouvela de plus en plus fréquemment, tandis que le voyage se poursuivait. Une fois le repas principal terminé, l'un ou l'autre prenait la parole. À eux tous, ils représentaient une douzaine de vies aventureuses, menées sur tant de corps célestes qu'il était difficile de trouver meilleure source pour ces conversations d'après-dîner.

Le moins bon causeur était, curieusement, Victor Willis. Il était assez lucide pour le reconnaître et pour en donner la raison, presque en s'excusant :

— Je suis tellement habitué à parler pour un public de millions d'individus qu'il m'est difficile de participer à la conversation d'un petit groupe amical comme celui-ci.

— Est-ce que vous auriez moins de mal s'il n'était pas aussi amical ? rétorqua Mihailovitch, toujours secourable. Ça peut s'arranger facilement.

Yva, en revanche, se révéla plus loquace qu'on ne s'y attendait, même si ses souvenirs se limitaient au monde du spectacle. Elle était surtout intarissable quand elle évoquait les metteurs en scène — fameux ou infâmes — avec qui elle avait tourné, David Griffith notamment.

— Est-ce que c'est vrai ? demanda Maggie M. en pensant sans doute à Shaka, qu'il détestait les femmes ?

— Pas du tout ! répondit Yva sans hésiter. Il détestait simplement les acteurs. Il pensait qu'ils n'étaient pas des êtres humains.

Les souvenirs de Mihailovitch couvraient aussi un registre assez limité, les grands orchestres et les compagnies de ballet, les chefs d'orchestre et compositeurs célèbres et leurs innombrables courtisans. Mais il avait un tel stock d'histoires désopilantes sur les intrigues de coulisses, les générales sabotées et les rivalités mortelles entre *prime donne* que même les moins mélomanes de ses auditeurs se tordaient de rire et l'écoutaient de grand cœur.

Les récits très prosaïques du colonel Greenberg n'auraient pu fournir plus grand contraste. Le premier atterrissage au pôle sud — relativement — tempéré de Mercure avait fait l'objet de tant de reportages qu'il n'avait pas grand-chose de nouveau à en dire ; la question qui intéressait tout le monde, c'était : « Quand y retournerons-nous ? » suivie généralement de : « Voudriez-vous y retourner ? ».

— Si on me le demandait, bien sûr que j'irais, affirmait Greenberg. Mais je crois plutôt qu'il va en être de Mercure comme de la Lune. Rappelez-vous. Nous nous y sommes posés en 1969 et il s'est écoulé plus d'une génération avant que nous y retournions. Et puis Mercure n'est pas aussi utile que la Lune, même si un jour elle le devient peut-être. Il n'y a pas d'eau. Naturellement, c'était une grande surprise d'en trouver sur, ou plutôt dans, la Lune... Si ce n'était pas aussi glorieux que l'atterrissage sur Mercure, j'ai effectué un travail important en organisant le train de mules d'Aristarque.

— Le train de mules ?

— Hé oui ! Avant la construction du grand lanceur équatorial, qui a permis d'envoyer directement la glace sur orbite, nous devions la transporter de la mine au cosmoport d'Imbrium. Il a fallu pour cela niveler une route à travers des plaines de lave et construire des ponts sur pas mal de crevasses. La route de la Glace, nous l'appelions. Seulement trois cents kilomètres mais il a fallu plusieurs générations pour la construire...

» Les "mules" étaient des tracteurs à huit roues avec des pneus gigantesques et une suspension indépendante ; ils remorquaient douze chariots chargés chacun de cent tonnes de glace. On voyageait généralement de nuit, inutile dans ces conditions d'abriter la cargaison.

» J'ai fait cette route plusieurs fois. Le trajet durait en moyenne six heures — nous n'étions pas là pour battre des records de vitesse — et ensuite la glace était déchargée dans de grandes citernes pressurisées pour attendre le lever du soleil. Dès qu'elle fondait, elle était pompée dans les vaisseaux.

» La route de la Glace existe toujours, naturellement, mais elle ne sert plus qu'aux touristes. S'ils avaient un peu de bon sens, ils la parcourraient de nuit, comme nous autrefois. C'était féerique, avec la pleine Terre presque directement au-dessus de nous, si brillante que nous avions rarement besoin de nos phares. Et s'il nous était très facile d'entrer en contact avec nos amis, nous préférions souvent éteindre la radio et laisser les systèmes automatiques les rassurer sur notre sort. Nous apprécions d'être seuls dans ce grand vide étincelant, pendant qu'il existait encore car nous savions que cela ne pourrait pas durer.

» On construit maintenant le grand accélérateur de particules de un billion de volts, qui fait tout le tour de l'équateur, et des coupoles s'élèvent partout autour d'Imbrium et de Sérénité. Mais nous, nous avons connu le paysage lunaire tel que l'ont découvert Armstrong et Aldrin, dans sa splendeur sauvage, bien avant qu'on achète des cartes postales illustrées au bureau de poste de Tranquillité !

40. DES MONSTRES DE LA TERRE

« ... UNE CHANCE POUR TOI D'AVOIR RATÉ LE BAL ANNUEL. C'était encore plus sinistre que l'année dernière. Et une fois de plus notre mastodonte résident, la chère Miss Wilkinson, a réussi à écraser les doigts de pieds de son cavalier, même sur une piste à un demi-G de pesanteur !

» Maintenant, soyons sérieux. Comme tu ne reviendras pas avant des mois, au lieu de quinze jours, Admin lorgne ton appartement — bon quartier, pas loin du centre commercial, magnifique vue de la Terre par temps clair, etc. — et suggère une sous-location jusqu'à ton retour. Ça m'a l'air d'une bonne affaire, ça te ferait faire des économies. Nous nous occuperions de tes effets personnels...

» Cette affaire Shaka, à présent. Nous savons que tu adores nous faire marcher mais, franchement, Jerry et moi avons été horrifiés ! Je comprends pourquoi Maggie M. l'a envoyé balader — oui, bien sûr, nous avons lu ses *Passions olympiques*, très plaisant mais trop féministe pour nous.

» Quel monstre ! Pas étonnant qu'une bande de terroristes

201

africains ait pris son nom. Exécuter des guerriers parce qu'ils se mariaient ! Et tuer toutes les vaches de son misérable empire, uniquement parce qu'elles étaient des femelles ! Pis que tout, ces épouvantables sagaies qu'il a inventées ; quelle grossièreté choquante, les planter dans des gens à qui on n'a même pas été correctement présenté...

» Et quelle publicité pour tous les pays ! Presque assez pour vous faire retourner la jaquette. Nous te l'avons toujours dit, que nous étions doux et que nous avions bon cœur (ainsi que de grands talents artistiques, naturellement) mais maintenant que tu nous as fait considérer quelques-uns de ces soi-disant Grands Guerriers (comme si cela avait un rapport avec la grandeur, de tuer les gens !) nous avons presque honte du monde que nous fréquentons...

» Oui, nous étions au courant pour Hadrien et Alexandre — mais nous ne savions pas du tout que Richard Cœur de Lion et Saladin en étaient ! Ou Jules César — mais celui-là, que n'était-il pas ? — il n'y a qu'à le demander à Antoine et à Cléo. Ou Frédéric le Grand, qui a tout de même des qualités rédemptrices, il n'y a qu'à voir comment il a traité le vieux Bach.

» Quand j'ai dit à Jerry qu'au moins Napoléon était une exception — nous n'avions vraiment pas besoin de lui — tu sais ce qu'il m'a répondu ? "Je parie que Joséphine était un garçon !" Comment Yva prendrait-elle ça !

» Tu nous a gâché le moral, méchante brute, en nous mettant tous dans le même sac ensanglanté (si tu me passes l'expression). Tu aurais dû nous laisser dans notre béate ignorance.

» Malgré tout, nous t'embrassons très fort et Sébastien aussi. Dis bonjour de notre part aux Europiens que vous rencontrerez. À en juger par les rapports de *Galaxy*, certains feraient de très bons cavaliers pour Miss Wilkinson. »

41. MÉMOIRES D'UN CENTENAIRE

LE PR HEYWOOD FLOYD N'AIMAIT PAS PARLER DE LA PREmière mission sur Jupiter et de la seconde, vers Lucifer, dix ans plus tard. Il y avait si longtemps ! Et il n'avait plus rien à dire qui n'eût été raconté cent fois devant des commissions parlementaires, des comités du Conseil spatial ou des représentants des médias comme Victor Willis.

Néanmoins, il y avait des questions, de la part de ses compagnons de voyage, auxquelles il ne pouvait que difficilement se dérober. Il était le seul homme vivant à avoir assisté à la naissance d'un nouveau soleil — et d'un nouveau système solaire — alors ils attendaient de lui qu'il eût une connaissance plus approfondie des mondes dont ils s'approchaient si rapidement. C'était de la naïveté ; il avait beaucoup moins à leur dire sur les satellites galiléens que les savants et les ingénieurs qui travaillaient là-bas depuis plus d'une génération. Quand on lui demandait «Comment est-ce que c'est vraiment, sur Europe ? (ou Ganymède, Io ou Callisto...)», il avait tendance à renvoyer le curieux, non sans quelque brusquerie, aux volumineux rapports à sa disposition dans la bibliothèque du bord.

Dans un seul domaine, son expérience était unique. Un demi-siècle plus tard, il se demandait parfois si c'était réellement arrivé ou s'il s'était endormi à bord de *Discovery* quand David Bowman lui était apparu. C'était presque plus facile de croire qu'un vaisseau spatial pouvait être hanté...

Mais il n'avait certainement pas rêvé quand les particules de poussière flottantes s'étaient rassemblées pour former l'image spectrale d'un homme qui devait logiquement être mort depuis douze ans. Sans l'avertissement qu'elle lui avait donné (comme il se rappelait nettement les lèvres immobiles, la voix qui venait d'un haut-parleur de console !), *Leonov* et tout le monde à son bord auraient été désintégrés lors de l'explosion de Jupiter.

— Pourquoi a-t-il fait ça ?

Floyd répondit au cours d'une des séances d'après-dîner :

— C'est une question que je me pose depuis cinquante ans. Quoi qu'il soit devenu, quand il est sorti dans la chaloupe spatiale de *Discovery* pour examiner le monolithe, il a dû garder des contacts avec la race humaine ; il n'était pas complètement extraterrestre. Nous savons qu'il est retourné sur la Terre — brièvement — à cause de l'incident de la bombe orbitale. Et il y a des preuves qu'il a rendu visite à sa mère ainsi qu'à son ancienne fiancée ; ce n'est pas le comportement d'un... d'une entité qui aurait rejeté toute émotion.

— Que croyez-vous qu'il soit, *maintenant* ? demanda Willis. Et, au fait, *où* peut-il être ?

— Cette dernière question n'a peut-être aucune signification, même pour les êtres humains. Savez-vous, vous, où réside votre conscience ?

— Je n'ai que faire de la métaphysique. Quelque part du côté de mon cerveau, j'imagine.

— Quand j'étais jeune homme, intervint avec nostalgie Mihailovitch qui avait le génie de détourner les plus sérieuses des discussions, la mienne se situait à peu près un mètre plus bas.

— Supposons qu'il soit sur Europe ; nous savons qu'il y a un monolithe, là-bas, et Bowman y était certainement associé, d'une façon ou d'une autre... Il n'y a qu'à voir comment il a transmis l'avertissement.

— Croyez-vous que ce soit lui qui ait transmis le second, nous prévenant de ne pas nous approcher ?

— Ce que nous allons maintenant négliger...

— Pour une bonne cause !

Le capitaine, qui laissait généralement la conversation se dérouler librement, jugea bon pour une fois d'intervenir :

— Professeur Floyd, vous êtes dans une situation unique et nous devrions en profiter. Bowman s'est donné beaucoup de mal pour vous aider, une fois déjà. Il aura peut-être envie de le faire une nouvelle fois. Cet ordre, « N'essayez pas de vous poser » m'inquiète beaucoup. S'il pouvait nous assurer qu'il a été... temporairement suspendu, disons, je serais beaucoup plus tranquille.

Il y eut quelques murmures d'approbation autour de la table, avant que Floyd répondît :

— Oui. J'y ai bien pensé, moi aussi. J'ai déjà averti *Galaxy* de guetter toute, comment dirais-je ? toute manifestation, au cas où il essaierait de prendre contact.

— Évidemment, dit Yva, il est peut-être mort, à présent, si les fantômes meurent.

Personne, pas même Mihailovitch, ne répliqua mais Yva sentit manifestement qu'on ne l'approuvait pas. Elle fit un nouvel effort :

— Woody, pourquoi ne l'appelleriez-vous pas, tout simplement, par radio ? Elle est faite pour ça, n'est-ce pas ?

L'idée en était venue à Floyd mais elle lui avait semblé un peu trop naïve pour être prise au sérieux.

— C'est ce que je vais faire, promit-il. On ne risque rien à essayer.

42. MINILITHE

C<small>ETTE FOIS</small>, F<small>LOYD ÉTAIT SÛR DE RÊVER</small>...

Il n'avait jamais très bien pu dormir en apesanteur et *Univers* naviguait pour le moment sur son erre, sans propulsion, à une vitesse maximale. Dans deux jours, commencerait une décélération régulière qui durerait près d'une semaine, jusqu'à ce que puisse s'effectuer le rendez-vous avec Europe.

Floyd avait beau ajuster et réajuster ses sangles de sécurité, elles étaient toujours trop serrées ou trop lâches. Ou bien il avait du mal à respirer... ou bien il se soulevait de sa couchette.

Il lui était arrivé une fois de se réveiller en l'air et il avait dû se débattre pendant plusieurs minutes en nageant avant de pouvoir atteindre, épuisé, la paroi la plus proche. Alors seulement il s'était souvenu qu'il aurait dû simplement attendre ; le système d'aération de la cabine l'aurait vite attiré vers la bouche de ventilation, sans qu'il eût à se donner du mal. Voyageur spatial chevronné, il le savait très bien ; sa seule excuse était la panique.

Mais ce soir, tout était réglé à la perfection ; quand la pesanteur reviendrait, il aurait probablement du mal à se réajuster. Il ne resta éveillé que quelques minutes seulement, récapitulant la dernière conversation d'après-dîner, avant de s'endormir.

Dans son rêve, ils étaient toujours autour de la table. Il y avait quelques petits changements, qu'il acceptait sans surprise. Willis, par exemple, avait de nouveau la barbe mais d'un seul côté. Floyd supposait que c'était en raison d'un quelconque projet de recherche, mais il avait du mal à en imaginer la teneur.

Il avait d'ailleurs ses propres soucis. Il se défendait contre les critiques de l'administrateur spatial Millson, qui s'était assez curieusement joint au groupe. Floyd se demandait comment il était monté à bord d'*Univers* (serait-ce un passager clandestin ?). Le fait que Millson fût mort depuis au moins quarante ans, en revanche, lui paraissait tout à fait secondaire.

— Heywood, disait son vieil ennemi, la Maison Blanche est sens dessus dessous.

— Je ne vois pas du tout pourquoi.

— Ce message radio que vous venez d'envoyer à Europe. Est-ce qu'il était autorisé par le Département d'État ?

— Je ne pensais pas que c'était nécessaire. J'ai simplement demandé la permission d'atterrir.

— Ah ! Justement ! À *qui* l'avez-vous demandée ? Est-ce que nous reconnaissons le gouvernement concerné ? Tout ceci n'est pas du tout régulier.

Millson s'évapora, sans perdre de son air désapprobateur. Je suis bien content que ce ne soit qu'un rêve, pensa Floyd. Allons, quoi encore ?

Ma foi, j'aurais dû m'y attendre. Bonjour, mon vieux. Vous êtes proposé dans toutes les tailles, on dirait. Naturellement, même AMT-1 n'aurait pas pu se glisser dans ma cabine, et Big Brother aurait pu avaler d'un coup tout *Univers*.

Le monolithe noir qu'il avait ainsi surnommé se dressait — ou flottait — à deux mètres à peine de sa couchette. Floyd eut un recul en réalisant qu'il avait non seulement l'aspect mais la même taille qu'une pierre tombale. L'identité des formes lui était déjà venue à l'esprit, mais jusque-là la disproportion en avait diminué l'impact psychologique. Pour la première fois, il ressentait un malaise, il trouvait la ressemblance inquiétante, pour ne pas dire sinistre.

Et d'abord, qu'est-ce que vous faites là ? Est-ce que vous apportez un message de Dave Bowman ? Seriez-vous Dave Bowman ?

Dans le fond, je n'attendais pas vraiment une réponse. Vous n'étiez pas très bavard autrefois, n'est-ce pas ? Mais il se passait toujours des choses, quand vous étiez dans le coin. À Tycho, il y a soixante ans, vous avez envoyé ce signal vers Jupiter, pour dire à vos constructeurs que nous vous avions déterré. Et voyez un peu ce que vous avez fait à Jupiter, quand nous sommes arrivés là-bas douze ans plus tard !

Qu'est-ce que vous manigancez maintenant ?

VI. Le Havre

43. RÉCUPÉRATION

LA PREMIÈRE DIFFICULTÉ QU'AFFRONTÈRENT LE CAPITAINE Laplace et son équipe, une fois habitués à la terre ferme, fut de se réorienter. Tout, à bord de *Galaxy*, était bouleversé.

Les vaisseaux spatiaux sont conçus pour deux types d'utilisations : soit en totale apesanteur soit, quand la propulsion fonctionne, avec une verticalité dirigée dans son axe longitudinal. Mais à présent, *Galaxy* était presque à l'horizontale et tous les planchers étaient devenus des cloisons. C'était exactement comme d'essayer de vivre dans un phare qui serait tombé sur le flanc ; tous les meubles devaient être déplacés et cinquante pour cent au moins de l'équipement ne fonctionnait pas correctement.

Cependant, c'était dans un sens un mal pour un bien dont le capitaine Laplace profitait au mieux. L'équipage était si occupé à réaménager l'intérieur du vaisseau — avec priorité à la plomberie — qu'il n'avait pas à s'inquiéter du moral. Tant que la coque resterait étanche à l'air et tant que les génératrices à muons continueraient de fournir de l'énergie, ils n'étaient menacés d'aucun danger immédiat ; il leur suffisait de survivre pendant vingt jours, et puis le salut arriverait du ciel sous la forme d'*Univers*. Personne n'évoqua la possibilité que les puissances inconnues régnant sur Europe s'opposent à un second atterrissage. Elles avaient — apparemment — fermé les yeux sur le premier ; elles n'iraient tout de même pas entraver une mission de sauvetage...

Europe, cependant, se montrait maintenant plus hostile. Tant que *Galaxy* avait dérivé au grand large, il n'avait pour ainsi dire pas souffert des séismes qui ne cessaient de secouer cette petite planète. Mais maintenant que le vaisseau avait définitivement touché terre, il était ébranlé toutes les quelques heures par des secousses sismiques. S'il avait touché terre en position verticale normale, il aurait de toute façon certainement été déjà renversé.

Ces secousses étaient plus désagréables que dangereuses mais elles donnaient des cauchemars à ceux qui avaient connu Tokyo en 2033 et Los Angeles en 2045. Ce n'était pas d'un bien grand secours de savoir qu'elles étaient parfaitement prévisibles, leur paroxysme étant atteint tous les trois jours et demi quand Io passait à proximité. Et ce n'était guère une consolation de se dire que les dégâts devaient au moins être égaux sur Io.

Après six jours de travail harassant, le capitaine Laplace, satisfait, jugea que *Galaxy* était aussi bien ordonné qu'on pouvait l'espérer dans de telles circonstances. Il décréta une journée de vacances — que presque tout l'équipage passa à dormir — puis il mit au point un emploi du temps pour la deuxième semaine sur le satellite.

Les savants, naturellement, voulaient explorer le nouveau monde où ils étaient arrivés d'une manière si inattendue. D'après les cartes radar transmises par Ganymède, l'île avait quinze kilomètres sur cinq, avec un point culminant de cent mètres à peine, pas assez élevé, prédit sombrement quelqu'un, pour éviter un tsunami vraiment méchant.

Il était difficile d'imaginer paysage plus sinistre et plus menaçant ; un demi-siècle d'exposition aux faibles vents et pluies d'Europe n'avait pas permis l'érosion de la lave dure recouvrant la moitié de sa surface ou les arêtes vives des éperons de granit qui se dressaient au milieu des fleuves de roche congelée. Mais c'était leur terre, maintenant, et ils devaient lui trouver un nom.

Les lugubres suggestions telles que Hadès, Géhenne, Enfer, Purgatoire... furent finalement écartées par le capitaine ; il voulait quelque chose de gai. Un tribut étonnant et généreux à un courageux ennemi fut sérieusement envisagé, avant d'être repoussé par trente-deux voix contre dix et cinq abstentions : l'île ne s'appellerait pas « Roseland »...

Finalement, Le Havre gagna, à l'unanimité.

44· ENDURANCE

« L'HISTOIRE NE SE RÉPÈTE JAMAIS, MAIS CERTAINES SITUA-
tions historiques se reproduisent. »

En préparant son rapport quotidien à Ganymède, le capitaine Laplace songeait sans cesse à cette phrase. Elle lui
avait été citée par Margaret M'Bala — qui se rapprochait en
ce moment à près de mille kilomètres-seconde — dans un
message d'encouragement d'*Univers* qu'il avait été enchanté
de transmettre à ses camarades naufragés.

« Dites, s'il vous plaît, à Miss M'Bala que sa petite leçon
d'histoire a été extrêmement bonne pour le moral ; elle
n'aurait rien pu trouver de mieux à nous envoyer...

» Malgré l'inconvénient de voir nos sols et nos cloisons
renversés, nous vivons dans le luxe si nous nous comparons
aux anciens explorateurs polaires. Quelques-uns parmi nous
ont entendu parler d'Ernest Shackleton, mais nous n'avions
pas la moindre idée de la saga d'*Endurance*. Rester prison-
nier de la banquise pendant plus d'un an, et puis passer
l'hiver de l'Antarctique dans une caverne, traverser

mille kilomètres d'océan à bord d'une embarcation découverte et escalader une chaîne de montagnes inconnues, sans aucune carte, pour arriver à la colonie humaine la plus proche !

» Et ce n'était qu'un début. Ce que nous trouvons incroyable — et encourageant — c'est que Shackleton soit retourné quatre fois, pour sauver ses hommes, sur cette petite île... et qu'il les ait *tous* sauvés ! Vous pouvez imaginer l'inspiration que nous a apportée ce récit. J'espère que vous pourrez nous envoyer une télécopie de son livre dans votre prochaine transmission. Nous avons tous très envie de le lire.

» Et qu'aurait-il pensé de *ça* ? Oui, nous sommes infiniment moins à plaindre que ces explorateurs d'autrefois. Il est presque impossible de croire que jusque dans les débuts du siècle dernier, une fois disparus à l'horizon, ils étaient complètement coupés du reste de la race humaine. Nous devrions être honteux de râler parce que la lumière n'est pas assez rapide et que nous ne pouvons pas parler en temps réel à nos amis, ou parce qu'il faut attendre deux heures une réponse de la Terre... Ils n'avaient aucun contact, *eux*, pendant des mois, presque des années ! Encore une fois, Miss M'Bala, nos remerciements les plus sincères.

» Naturellement, les explorateurs de la Terre avaient sur nous un avantage considérable : ils pouvaient au moins respirer de l'air. Notre équipe scientifique réclame à grands cris le droit de sortir et nous avons modifié nos combinaisons spatiales pour des EVA de quelques heures, jusqu'à six. Sous cette pression atmosphérique, ils n'ont pas besoin de combinaison intégrale, une fermeture hermétique à la taille suffit, et je permets à deux hommes de sortir ensemble, à condition qu'ils restent en vue du vaisseau.

» Finalement, voici le bulletin météo d'aujourd'hui. Pression 250 bars, température fixe de 25°, rafales de vents d'ouest allant jusqu'à 30 nœuds, ciel couvert à 100 %

215

comme d'habitude, séismes entre 1 et 3 sur l'échelle ouverte de Richter...

» Vous savez, je n'ai jamais beaucoup aimé ce mot-là, "échelle ouverte", encore moins maintenant qu'Io arrive de nouveau en conjonction... »

45. MISSION

QUAND PLUSIEURS PERSONNES DEMANDAIENT À LE VOIR ensemble, c'était généralement le présage d'ennuis ou tout au moins d'une décision difficile. Le capitaine Laplace avait remarqué que Floyd et Van der Berg passaient beaucoup de temps à converser, en compagnie du lieutenant Chang, et il n'était pas difficile de deviner de quoi ils parlaient. Leur proposition le surprit tout de même.

— Vous voulez aller au mont Zeus ! Comment ? Dans une embarcation découverte ? Est-ce que le livre de Shackleton vous serait monté à la tête ?

Floyd parut un peu embarrassé ; le capitaine avait tapé dans le mille. *South* avait été une inspiration, par plus d'un côté.

— Même si nous pouvions construire un bateau, il nous faudrait trop de temps, surtout maintenant qu'*Univers* semble devoir nous atteindre dans les dix prochains jours...

— Et je ne crois pas, renchérit Van der Berg, que j'aurais envie de naviguer sur cette mer de Galilée. Ses habitants

217

n'ont peut-être pas tous remarqué que nous ne sommes pas comestibles.

— Vous avez une autre solution à proposer, n'est-ce pas ? Je ne suis pas enthousiaste mais je ne demande qu'à être persuadé. Je vous écoute.

— Nous en avons discuté avec M. Chang et il confirme que c'est possible. Le mont Zeus n'est qu'à trois cents kilomètres ; la navette peut y aller en moins d'une heure.

— Et trouver un endroit pour atterrir ? Vous avez oublié, j'imagine, que M. Chang n'a pas eu beaucoup de succès avec *Galaxy*.

— Pas de problème, capitaine. La masse de la *William Tsung* n'est que le centième de la nôtre ; la glace aurait probablement pu la supporter. Nous avons étudié toutes les archives vidéo et nous avons trouvé au moins douze bons sites d'atterrissage.

— Et puis, fit observer Van der Berg, le pilote n'aura pas un pistolet sur la tempe. Il sera plus détendu.

— Je n'en doute pas. Mais le gros problème, c'est ici. Comment allez-vous sortir la navette de son garage ? Est-ce que vous disposez d'une grue ? Même dans un milieu de faible gravité, c'est un sacré morceau.

— Pas la peine, capitaine. M. Chang sortirait en volant.

Un silence tomba, qui se prolongea pendant que le capitaine Laplace envisageait, manifestement sans plaisir, la mise à feu de fusées motrices à l'intérieur de son vaisseau. La petite navette de cent tonnes, familièrement appelée *Bill Tee*, était uniquement conçue pour les opérations orbitales ; normalement, on la poussait avec précaution hors du « garage » et les moteurs n'étaient mis en marche que lorsqu'elle était assez éloignée de son vaisseau.

— Il est évident que vous avez bien préparé votre affaire, dit Laplace à contrecœur. Mais l'angle de décollage ? Ne me dites pas que vous voulez faire rouler *Galaxy* sur le côté pour que *Bill Tee* puisse bondir à la verticale ! Le garage est à mi-hauteur sur le flanc ; encore une chance qu'il n'était pas dessous quand nous nous sommes échoués.

— Le décollage devra se faire à soixante degrés au-dessus

de l'horizontale. Les propulseurs latéraux sont bien suffisants pour ça.

— Si M. Chang l'assure, je ne demande qu'à le croire. Mais quels dégâts la mise à feu provoquera-t-elle sur le vaisseau ?

— Eh bien, elle détruira l'intérieur du garage, mais de toute façon on ne s'en servira plus. Et les parois sont prévues pour résister à des explosions accidentelles, alors il n'y a pas de danger d'autres dégâts au reste du vaisseau. Et nous aurons des équipes anti-incendie sur place, pour parer à toute éventualité.

C'était un projet intéressant, pas de doute. Si ça marchait, la mission ne serait pas un échec total. Au cours de la dernière semaine, le capitaine Laplace avait à peine songé au mont Zeus, le responsable de leur triste sort ; rien d'autre que la survie n'avait importé. Mais à présent il y avait de l'espoir, et le loisir de prévoir. Cela vaudrait quand même la peine de prendre des risques pour découvrir pourquoi ce petit astre était à la source de tant d'intrigues.

46. NAVETTE

— Si j'ai bonne mémoire, dit le Pr Anderson, la première fusée de Goddard a volé sur environ cinquante mètres. Je me demande si M. Chang va battre ce record.

— Il fera bien! Sinon nous sommes *tous* dans le pétrin!

Presque toute l'équipe scientifique était rassemblée dans le salon d'observation, tout le monde anxieusement tourné vers l'arrière du vaisseau. L'entrée du garage n'était pas visible de cet angle mais ils apercevraient assez vite *Bill Tee*, dès qu'elle émergerait... si elle émergeait.

Il n'y eut pas de compte à rebours. Chang prit son temps, procéda à toutes les vérifications possibles, décidé à mettre à feu quand il le jugerait bon. La navette avait été allégée au maximum et transportait juste assez de carburant pour cent secondes de vol. Si tout marchait bien, ce serait largement suffisant; une plus grande quantité serait superflue pour ne pas dire dangereuse.

— Allez, on y va, fit-il tranquillement.

Ce fut presque un tour de passe-passe; tout se produisit

220

si vite que l'œil en fut trompé. Personne ne vit *Bill Tee* surgir du garage, parce qu'elle était dissimulée par un nuage de vapeur. Quand le nuage se dissipa, la navette se posait déjà, deux cents mètres plus loin.

Un grand cri de soulagement monta dans le salon.

— Il l'a fait ! s'écria le capitaine par intérim Lee. Il a battu le record de Goddard ! Facilement !

Debout sur ses quatre pattes trapues, dans l'aride paysage européen, *Bill Tee* avait l'air d'une version agrandie et encore moins élégante d'un module lunaire Apollo. Ce ne fut cependant pas la pensée qui vint à l'esprit du capitaine Laplace en la regardant de la passerelle.

Il lui semblait plutôt que son vaisseau était une baleine échouée qui avait réussi à accoucher difficilement dans un élément étranger. Il espéra que le petit survivrait.

Quarante-huit heures plus tard, la *William Tsung* était chargée et prête à partir, après un vol d'essai de dix kilomètres autour de l'île. On avait encore tout le temps pour la mission. D'après les estimations les plus optimistes, *Univers* ne pouvait pas arriver avant trois jours ; le voyage au mont Zeus, même en tenant compte du déploiement des innombrables instruments du Pr Van der Berg, ne durerait que six heures.

Dès que le lieutenant Chang eut atterri, Laplace le convoqua dans sa cabine. Le capitaine sembla à Chang plutôt mal à l'aise.

— Beau travail, Walter. Nous n'en attendions pas moins de vous.

— Merci, capitaine. Alors où est le problème ?

Le capitaine sourit. Difficile de garder un secret dans un milieu aussi fermé.

— La D.G., comme d'habitude. Je suis navré de vous décevoir, mais j'ai des ordres : seuls le Pr Van der Berg et le lieutenant Floyd sont autorisés à faire ce voyage.

— Je vois, répondit Chang avec un soupçon d'amertume. Que leur avez-vous dit, à la direction ?

— Rien encore. Je voulais d'abord vous en parler. Je suis

221

prêt à déclarer que vous êtes le seul pilote capable d'effectuer cette mission.

— Ils ne marcheront pas. Floyd est aussi compétent que moi. Et il n'y a pas le moindre risque, à part une panne, ce qui peut arriver à n'importe qui.

— Je suis quand même prêt à me mouiller, si vous insistez. Après tout, je suis ici le seul maître et nous serons tous des héros quand nous retournerons sur Terre.

De toute évidence, Chang se livrait à des calculs complexes. Le résultat parut lui plaire assez.

— Le remplacement d'environ deux cents kilos de cargaison par le combustible nous donne une nouvelle option intéressante. J'avais l'intention d'en parler plus tôt, mais *Bill Tee* n'avait aucun moyen d'effectuer cette mission avec tout ce matériel supplémentaire et un équipage complet...

— Ne me dites rien ! La Grande Muraille.

— Bien sûr. Nous pourrions la survoler entièrement en une ou deux fois, pour savoir ce que c'est réellement.

— Je croyais que nous le savions déjà et je ne suis pas sûr que nous devrions nous en approcher. Ce serait peut-être tenter le diable.

— Peut-être. Mais il y a une autre raison, la principale pour certains d'entre nous...

— Oui ?

— *Tsien.* L'épave n'est qu'à dix kilomètres de la muraille. Nous aimerions y lâcher une couronne.

C'était donc cela, le sujet des discussions de ses officiers ! pensa Laplace.

— Je comprends, murmura-t-il. Il va falloir que je réfléchisse. Que j'en parle à Van der Berg et à Floyd, pour savoir s'ils sont d'accord.

— Et à la D.G. ?

— Ah non ! Ce sera ma propre décision !

47. TESSONS

«VOUS FERIEZ BIEN DE VOUS DÉPÊCHER, AVAIT PRÉVENU LE central de Ganymède. La prochaine conjonction sera mauvaise, nous allons, avec Io, provoquer des séismes sur Europe. Et, sans vouloir vous effrayer, à moins que notre radar soit déréglé, votre montagne s'est encore enfoncée de cent mètres depuis la dernière observation.»

À ce train, pensait Van der Berg, Europe redeviendrait plate en dix ans. Tout s'y passait tellement plus vite que sur la Terre! C'était une des raisons pour lesquelles l'astre passionnait tant les géologues.

Maintenant qu'il se retrouvait sanglé juste derrière Floyd, presque complètement entouré de consoles, il ressentait un curieux mélange d'exaltation et de regret. Dans quelques heures, la grande aventure de sa vie serait achevée... dans un sens ou dans l'autre. Jamais rien de ce qui lui arriverait dans l'avenir ne pourrait égaler ce moment.

Il n'éprouvait pas le moindre soupçon de crainte; sa confiance en l'homme et en la machine était totale. À ce moment sa reconnaissance, tout à fait bizarrement, allait à la défunte Rose McMahon ; sans elle, jamais il n'aurait connu cet instant, il aurait vécu dans l'incertitude jusqu'à la tombe.

Bill Tee, lourdement chargée, put difficilement atteindre une accélération de 0,1 G au décollage ; la navette n'était pas conçue pour ce genre d'expédition mais cela irait beaucoup mieux au retour, quand elle aurait déposé sa cargaison. Elle parut mettre une éternité à se dégager de *Galaxy* ; les deux passagers eurent tout le temps d'examiner les dégâts à la coque ainsi que les signes de corrosion provenant des pluies acides occasionnelles. Tandis que Floyd consacrait toute son attention au décollage, Van der Berg lui fit un rapport rapide sur l'état du vaisseau. Cela pouvait être utile, même si, avec un peu de chance, l'aptitude de *Galaxy* au vol spatial ne serait bientôt plus d'aucun intérêt.

Ils voyaient maintenant l'île du Havre tout entière étalée au-dessous d'eux et Van der Berg compris que Lee avait brillamment réussi sa manœuvre en échouant le vaisseau. Très rares étaient les endroits où il aurait pu accoster ; bien sûr, il avait été servi par la chance mais il avait profité au mieux du vent et de son ancre flottante.

La brume se referma autour d'eux ; *Bill Tee* s'élevait sur une trajectoire semi-balistique pour réduire la traînée aéro-dynamique et, pendant vingt minutes, il n'y aurait rien d'autre à voir que des nuages. Dommage, pensa Van der Berg, je suis sûr qu'il doit y avoir des créatures intéressantes qui nagent dans ces parages, et personne d'autre n'aura sans doute jamais l'occasion de les voir...

— Arrêt des moteurs, annonça Floyd. Tout est normal.

— Très bien, *Bill Tee*. Pas de rapports de trafic à votre altitude. Vous êtes encore le numéro un sur la piste.

— Qui est ce farceur ? demanda Van der Berg.

— Ronnie Lim. Ça va vous étonner, mais cette blague du numéro un sur la piste remonte à Apollo.

Rien ne valait un peu d'humour — à condition de ne pas exagérer — pour soulager la tension quand deux hommes étaient lancés dans une entreprise difficile et probablement hasardeuse.

— Un quart d'heure avant que nous commencions à freiner, dit Floyd. Voyons un peu ce qu'il y a d'autre sur les ondes.

Il mit en marche l'autoscann et une succession de bips et de sifflements se répercuta dans la petite cabine, séparés par de brefs silences quand le tuner les rejetait à tour de rôle en grimpant rapidement dans la gamme des fréquences.

— Les signaux locaux et les transmissions d'info, marmonna Floyd. J'espérais... Ah si, voilà !

Ce n'était qu'une faible note musicale, qui montait et descendait comme la voix d'une soprano démente. Il jeta un coup d'œil à l'indicateur de fréquence.

— Effet Doppler presque nul... Il ralentit vite.

— Qu'est-ce que c'est ? Du texte ?

— De la vidéo à balayage lent. Ils relaient un tas d'images à la Terre par l'intermédiaire de la grande antenne parabolique de Ganymède, quand elle est dans la bonne position. Les réseaux réclament à grands cris des informations.

Ils écoutèrent pendant quelques minutes le son hypnotique mais sans signification ; puis Floyd éteignit la radio. Pour leurs oreilles, sans secours d'appareillage, la transmission d'*Univers* était incompréhensible mais le seul fait qu'elle émît un message avait de l'importance. Les secours étaient en route et arriveraient bientôt.

En partie pour meubler le silence mais aussi parce qu'il était sincèrement intéressé, Van der Berg demanda :

— Vous avez parlé à votre grand-père, dernièrement ?

« Parler » n'était naturellement pas le mot qui convenait, s'agissant de distances interplanétaires, mais personne n'avait trouvé de néologisme acceptable : voxgramme, audiocarte et vocalettre avaient eu un bref succès avant de disparaître dans les limbes. Encore maintenant, l'immense majorité de l'humanité refusait de croire que la conversation en temps réel était impossible dans le gigantesque espace du système solaire et, de temps en temps, des protestations indignées se faisaient entendre : « Pourquoi est-ce que les savants n'y font rien ? »

— Oui, répondit Floyd. Il va très bien et je me fais une joie de le revoir.

Sa voix exprimait une légère tension. Je me demande, se dit Van der Berg, quand ils se sont vus pour la dernière fois. Mais poser la question eût été manquer de tact. Il passa les dix minutes suivantes à répéter avec Floyd les manœuvres de déchargement et d'installation, pour qu'il n'y eût pas de confusion inutile quand ils se poseraient.

Le voyant d'alarme « commencer freinage » s'éteignit un centième de seconde *après* que Floyd eut mis en marche le sélecteur de programme. Je suis entre de bonnes mains, pensa Van der Berg, je peux me détendre et me concentrer sur mon travail. Où est cette caméra ? Ne me dites pas qu'elle s'est encore envolée...

Les nuages se dissipaient. Alors même que le radar leur avait déjà montré exactement ce qui était au-dessous d'eux, avec une image aussi bonne qu'une vision directe, ce fut néanmoins un choc de voir la face de la montagne se dresser devant eux à quelques kilomètres seulement.

— Regardez ! s'écria tout à coup Floyd. Sur la gauche, près de ce double pic... Je vous laisse deviner !

— Je suis sûr que vous avez raison. Je ne pense pas que nous ayons causé des dégâts... Je me demande où l'autre est tombé.

— Altitude mille mètres. Quel site d'atterrissage ? Alpha n'a plus l'air tellement épatant, vu d'ici.

— Oui. Essayez Gamma. C'est plus près de la montagne, d'ailleurs.

— Cinq cents mètres. D'accord pour Gamma. Je vais planer pendant vingt secondes et si ça ne vous plaît pas, nous passerons à Bêta. Quatre cents... Trois cents... Deux cents... (« Bonne chance, *Bill Tee* », murmura *Galaxy*.) Merci, Ronnie... Cent cinquante... Cent... Cinquante... Qu'est-ce que vous dites de ça ? Rien que quelques cailloux et... tiens, c'est bizarre, on dirait des débris de verre, un peu partout. Quelqu'un a fait une orgie dans ce coin-là... Cinquante... Cinquante... Toujours d'accord ?

— Parfait. Descendez.

— Quarante... Trente... Vingt... Dix... Vous êtes sûr que vous ne voulez pas changer d'idée ?... Dix... Nous soulevons un peu de poussière comme a dit Neil, une fois... à moins que ce soit Buzz... Cinq... Contact ! Facile, n'est-ce pas ? Je ne sais pas pourquoi ils prennent la peine de me payer !

48. LUCY

— Allô, Gany Central? Nous avons parfaitement
réussi l'atterrissage, ou plutôt Chris l'a réussi, sur une surface plane d'une roche métamorphique, probablement ce
même pseudo-granit que nous avons appelé havrite. La base
de la montagne n'est qu'à deux kilomètres mais je vois déjà
qu'il n'est pas vraiment nécessaire de s'approcher... Nous
enfilons en ce moment nos combinaisons et nous commen-
cerons à décharger dans cinq minutes. Nous laisserons naturellement nos appareils en marche et nous vous appellerons
tous les quarts d'heure. Van, terminé.

— Qu'est-ce que ça veut dire? Nous n'avons pas besoin
d'aller plus près? demanda Floyd.

Van der Berg sourit. Depuis quelques minutes, il semblait
avoir rajeuni et être redevenu un garçon insouciant.

— *Circumspice*, rétorqua-t-il gaiement. C'est du latin et
ça veut dire «regardez autour de vous». Sortons d'abord la
grosse caméra... Ouille-oouille-ouille!

La *Bill Tee* venait de faire une embardée soudaine et, pendant quelques instants, elle se balança sur les amortisseurs de son train d'atterrissage, avec un mouvement qui, s'il avait duré plus de quelques secondes, aurait infailliblement donné le mal de mer.

— Ganymède ne s'est pas trompé sur les séismes, dit Floyd quand ils se furent remis d'aplomb. Est-ce qu'il y a un danger sérieux ?

— Je ne pense pas, la conjonction n'est que dans trente heures et cette plaque de rocher me fait l'effet d'être solide. Mais nous n'avons pas de temps à perdre ici, heureusement nous n'en avons pas besoin. Est-ce que mon masque est bien ajusté ? Je n'en ai pas l'impression.

— Attendez, je resserre la courroie... Là, c'est mieux. Respirez fort. Oui, maintenant c'est parfait. Je vais sortir le premier.

Van der Berg regretta de ne pas faire ce premier pas lui-même, mais Floyd était le commandant de bord et c'était sa mission de s'assurer que la *Bill Tee* était en bon état... et prête pour un décollage immédiat.

Floyd fit le tour du petit engin spatial, examina le train d'atterrissage et leva le pouce vers Van der Berg qui descendit par l'échelle pour le rejoindre. Il avait déjà porté cet équipement respiratoire léger lors de l'exploration du Havre, mais se sentait encore assez gauche et il prit un temps, sur le terrain, pour faire quelques petits ajustements. Puis il leva les yeux... vit Floyd.

— Touchez pas ! cria-t-il. C'est dangereux !

Floyd recula d'un bond devant les aiguilles de roche vitreuse qu'il examinait. À son œil inexpert, elles ressemblaient aux coulées ratées d'un grand four de verrier.

— Ce n'est pas radioactif ? demanda-t-il anxieusement.

— Non, mais ne vous en approchez pas avant que j'arrive.

Floyd remarqua avec étonnement que Van der Berg portait des gants épais. Officier de l'espace, Floyd avait mis longtemps à s'habituer au fait que sur Europe, on pouvait exposer sans risques sa peau nue à l'atmosphère. Ce n'était possible nulle part ailleurs dans le système solaire, pas même sur Mars.

Avec mille précautions, Van der Berg ramassa une longue aiguille de ce matériau vitreux. Malgré la lumière diffuse, elle brillait étrangement et Floyd s'aperçut qu'elle avait une redoutable arête coupante.

— Le couteau le plus acéré de l'univers connu, déclara joyeusement Van der Berg.

— Nous nous sommes donné tant de mal pour trouver un *couteau*?

Van der Berg éclata de rire mais ce n'était pas très facile, sous son masque.

— Vous n'avez toujours pas deviné de quoi il s'agit?

— Je commence à croire que je suis le seul à ne pas le savoir!

Van der Berg prit son compagnon par l'épaule et le fit pivoter, face à la gigantesque masse du mont Zeus. À cette courte distance, la montagne emplissait le ciel; elle n'était pas seulement la plus grande mais l'unique de ce monde-ci.

— Admirez la vue pendant juste une minute. J'ai une communication importante à faire.

Il tapa une séquence codée sur son comset, attendit que s'allume le voyant « Prêt » et parla:

— Ganymède Central Un Zéro Neuf, ici Van. Est-ce que vous me recevez?

Après un court laps de temps une voix électronique répondit:

— Salut, Van. Ici Ganymède Central Un Zéro Neuf. Prêt à recevoir.

Van der Berg prit un temps, savourant l'instant qu'il allait se rappeler toute sa vie.

— Contactez Terre Code Oncle Sept Trois Sept et transmettez le message suivant: LUCY EST ICI. LUCY EST ICI. Fin du message. Répétez s'il vous plaît.

Peut-être aurais-je dû l'empêcher de transmettre ça, quoi que ça veuille dire, pensa Floyd tandis que Ganymède répétait le message. *Mais il était trop tard, maintenant. Ce serait reçu sur Terre dans moins d'une heure.*

— Pardon, Chris, dit Van der Berg plus souriant que jamais. J'avais une tâche prioritaire à accomplir...

— Si vous ne me donnez pas bientôt des explications, je vais vous découper avec un de ces couteaux de verre brevetés !

— De verre, vraiment ! Eh bien, l'explication peut attendre. Elle est absolument fascinante mais très compliquée. Je vais simplement vous donner les faits bruts... Le mont Zeus est un diamant, un seul diamant, d'une masse approximative d'un million de *millions* de tonnes. Ou, si vous préférez, environ deux fois dix-sept carats à la puissance dix. Mais je ne peux pas garantir qu'il soit entièrement de la qualité la plus fine.

VII. La grande muraille

49. *IN MEMORIAM*

TANDIS QU'ILS DÉCHARGEAIENT LE MATÉRIEL DE *BILL TEE* sur le granit de leur petite aire d'atterrissage, Chris Floyd avait du mal à arracher ses yeux de la montagne qui les dominait. Un gigantesque diamant, plus gros que l'Everest ! Tous ces tessons épars autour de la navette ne devaient pas valoir des millions mais des milliards !

D'un autre côté, ils risquaient de ne pas valoir plus que... des débris de verre. La valeur du diamant avait toujours été contrôlée par les marchands et les producteurs, mais si une véritable montagne de pierre précieuse était tout à coup jetée sur le marché, les cours s'effondreraient immanquablement. Floyd commençait à comprendre pourquoi tant de groupes divers s'intéressaient à Europe ; les ramifications politiques et économiques étaient infinies.

Maintenant qu'il avait au moins vérifié son hypothèse, Van der Berg était revenu à son idée fixe, pressé d'achever son expérience sans autre distraction. Avec l'aide de Floyd — ce n'était pas facile d'extraire le volumineux matériel de la minuscule navette —, il commença par forer un trou avec une perceuse électrique portative, pour en retirer une carotte d'un mètre qu'il rapporta à la *Bill Tee*.

Floyd aurait agi différemment mais il reconnut qu'il était logique de commencer par le plus dur. Van der Berg attendit d'avoir déployé un sismographe et installé une caméra de télévision panoramique sur un lourd trépied bas, avant de ramasser un peu des incroyables richesses parsemées autour d'eux.

— Faute de mieux, dit-il en choisissant avec soin les fragments les moins dangereux, ça fera de bons souvenirs.

— À moins que les copains de Rose nous assassinent pour les voler.

Van der Berg jeta un vif coup d'œil à son compagnon ; il se demanda ce que Chris savait réellement, ou ce qu'il avait deviné.

— Ils n'auraient rien à y gagner, maintenant que le secret est éventé. D'ici une heure, les ordinateurs à la Bourse vont devenir fous.

— Sacré professeur ! s'écria Floyd avec plus d'admiration que de rancœur. C'était donc ça, votre message !

— Rien n'interdit à un savant de gagner accessoirement un peu d'argent. Mais je laisse les détails sordides à mes amis de la Terre. Tout à fait entre nous, je suis beaucoup plus intéressé par notre travail ici. Passez-moi donc cette pince, s'il vous plaît...

Avant d'avoir fini l'installation de la station Zeus, ils faillirent être renversés trois fois par des secousses telluriques. Ils sentaient d'abord une sorte de vibration sous leurs pieds, et puis tout se mettait à trembler et finalement un long gémissement horrible, un grondement semblait venir de toutes les directions à la fois. C'était pour Floyd ce qu'il y avait de plus étrange. Il n'arrivait pas très bien à s'habituer à ce qu'il y ait juste assez d'atmosphère autour d'eux pour permettre les conversations à courte portée sans radio.

Van der Berg lui répétait que les séismes n'étaient pas encore dangereux, mais Floyd s'était toujours méfié des experts. Bien sûr, le géologue venait de donner la preuve

236

spectaculaire qu'il ne s'était pas trompé ; en regardant la *Bill Tee* se balancer sur ses amortisseurs comme un navire en pleine tempête, Floyd espérait que la chance de Van tiendrait encore pendant quelques minutes.

— Voilà, ça devrait aller, annonça enfin le savant au grand soulagement de Floyd. Ganymède reçoit des informations claires sur tous les canaux. Les batteries vont durer des années, avec ce panneau solaire pour les recharger continuellement.

— Si tout ce matériel est encore debout dans huit jours, je serai très étonné. Je jurerais que cette montagne a bougé depuis que nous avons atterri. Filons avant qu'elle nous tombe dessus !

— J'ai davantage peur, répliqua Van der Berg en riant, que le souffle de votre tuyère démolisse tout notre travail.

— Pas de danger. Nous sommes bien à l'écart et maintenant que nous nous sommes débarrassés de tout le bric-à-brac, nous n'aurons besoin que de la moitié de la puissance pour décoller. À moins que vous vouliez embarquer encore quelques milliards de plus. Ou trillions.

— Ne soyons pas cupides. D'ailleurs, je suis bien incapable de dire combien ça vaudra quand nous serons de retour sur la Terre. Les musées vont s'en emparer, naturellement. Après... allez savoir !

Les doigts de Floyd volèrent sur le tableau de bord et il entra en communication avec *Galaxy*.

— Première phase de la mission achevée. *Bill Tee* prête au redécollage. Plan de vol comme convenu.

Ils ne furent pas surpris quand le capitaine Laplace répondit :

— Vous êtes bien sûrs de vouloir aller jusqu'au bout ? N'oubliez pas que la décision finale vous revient. Quoi que vous fassiez, je vous soutiendrai.

— Oui, capitaine, mais nous sommes contents tous les deux. Nous comprenons les sentiments de l'équipage. Et le bénéfice scientifique sera énorme. Nous sommes tous deux très surexcités.

— Un instant ! Nous attendons toujours votre rapport sur le mont Zeus !

Floyd regarda Van der Berg, qui fit un geste résigné et prit le microphone.

— Si nous vous le disions maintenant, capitaine, vous nous prendriez pour des fous, ou vous croiriez à un canular. Attendez encore une heure ou deux, je vous en prie, que nous soyons de retour... avec la preuve.

— Hum. Ça ne servirait pas à grand-chose de vous donner un ordre, n'est-ce pas ? Ma foi... Bonne chance quand même. Et meilleurs vœux aussi de la part du grand patron, il trouve que c'est une idée merveilleuse d'aller survoler *Tsien.*

— J'étais sûr que Sir Lawrence approuverait, dit Floyd à son compagnon. Et d'ailleurs, *Galaxy* étant déjà complètement perdu, *Bill Tee* n'est pas un bien grand risque supplémentaire, après tout.

Van der Berg approuva mais il n'était pas entièrement d'accord : il avait établi sa réputation scientifique, maintenant il voulait en profiter !

— Ah, au fait, reprit Floyd. Qui est Lucy ? Quelqu'un de particulier ?

— Pas que je sache. Nous sommes tombés sur elle lors d'une recherche par ordinateur et avons pensé que ce nom ferait un bon code. Tout le monde doit supposer qu'il concerne Lucifer, ce qui est un peu vrai, donc davantage trompeur. Je n'avais jamais entendu parler d'eux mais il y a plus d'une centaine d'années, un groupe de musiciens au nom bizarre, les Beatles, ont écrit une chanson au titre encore plus bizarre, *Lucy in the Sky with Diamonds !* Curieux, non ? Presque comme s'ils avaient su...

D'après le radar de Ganymède, l'épave de *Tsien* se trouvait à trois cents kilomètres à l'ouest du mont Zeus, en direction de la zone baptisée crépusculaire et des régions froides au-delà. Elles étaient en permanence glaciales mais pas obscures ; la moitié du temps, le lointain Soleil les éclairait brillamment. Cependant, même à la fin du long jour solaire europien, la température restait bien au-dessous de zéro. Comme l'eau liquide ne pouvait exister que dans l'hémisphère éclairé par Lucifer, la région intermédiaire était un secteur d'éternelles tempêtes où rivalisaient la pluie et la grêle, le grésil et la neige.

Au cours du demi-siècle écoulé depuis le dramatique atterrissage de *Tsien*, le vaisseau s'était déplacé de près de mille kilomètres. Il avait dû dériver — comme *Galaxy* — pendant plusieurs années sur la mer de Galilée nouvellement créée, avant d'échouer sur cette lugubre côte inhospitalière.

Floyd capta l'écho radar dès que *Bill Tee* se stabilisa à la fin de son deuxième bond sur Europe. Le signal était bizarrement très faible pour un objet aussi énorme ; dès qu'ils eurent percé le plafond de nuages, ils comprirent pourquoi.

L'épave du vaisseau spatial *Tsien*, premier véhicule habité à se poser sur un satellite de Jupiter, se trouvait au centre d'un petit lac circulaire — manifestement artificiel — relié par un canal à la mer, à moins de trois kilomètres. Il n'en restait que le squelette, et même pas complet ; la carcasse avait été complètement pillée.

Mais par *quoi* ? se demanda Van der Berg. Il n'y avait aucune trace de vie, par là ; l'endroit paraissait abandonné depuis des années. Pourtant, il était indiscutable que « quelque chose » avait dépouillé l'épave, délibérément et avec une précision quasi chirurgicale.

— Nous pouvons apparemment nous poser sans danger, dit Floyd, et il attendit quelques secondes le hochement de tête distrait de Van der Berg.

Le géologue vidéoscopait déjà tout ce qu'ils avaient sous les yeux.

Bill Tee se posa sans difficulté sur le bord du bassin et les deux hommes contemplèrent, dans l'eau noire glaciale, ce monument aux impulsions exploratrices de l'Homme. Ils ne voyaient aucun moyen commode de s'approcher de l'épave mais cela n'avait pas grande importance.

Une fois revêtus de leur combinaison, ils portèrent la couronne au bord de l'eau et la tinrent solennellement devant la caméra pendant quelques secondes, puis ils lancèrent cet hommage de l'équipage de *Galaxy*. Elle avait été superbement composée ; bien que les seules matières premières disponibles eussent été du métal, du papier et du plastique, on aurait cru que les feuilles et les fleurs étaient vraies. Épinglés sur tout le pourtour, il y avait des billets et des inscriptions, dont beaucoup étaient écrits avec les anciens idéogrammes maintenant officiellement périmés, au lieu des caractères romains.

Alors que les deux hommes retournaient vers la navette, Floyd demanda d'un air songeur :

— Avez-vous remarqué ? Il ne reste pratiquement plus de métal. Rien que du verre, du plastique, des matières synthétiques.

— Et les poutrelles de soutien ?

— Alliage. Surtout de carbone, de bore. Il y a par ici quelqu'un qui est très friand de métal, et qui sait le reconnaître quand il en voit. Intéressant...

Très, pensa Van der Berg. Sur une planète où le feu ne pouvait exister, les métaux et les alliages étaient presque impossibles à fabriquer... et devaient être aussi précieux que... eh bien, que des diamants...

Quand Floyd eut fait son rapport à la base et reçut un message de remerciement du lieutenant Chang et de ses camarades, il emmena *Bill Tee* à mille mètres et continua de voler cap à l'ouest.

— Dernière étape, dit-il. Inutile d'aller plus haut, nous serons là-bas dans dix minutes. Mais nous ne nous poserons pas. Si la Grande Muraille est ce que nous pensons, je préfère ne pas y toucher. Nous ferons un survol rapide et rentrerons à la maison. Préparez vos caméras, ça pourrait être encore plus important que le mont Zeus.

Et, ajoute-t-il à part lui, je vais sans doute savoir bientôt ce que grand-papa Heywood a éprouvé, pas très loin d'ici, il y a cinquante ans. Nous aurons beaucoup de choses à nous raconter quand nous nous retrouverons... dans moins d'une semaine si tout se passe bien.

50. VILLE OUVERTE

QUEL ENDROIT ABOMINABLE, PENSA CHRIS FLOYD. RIEN QUE des rafales de grésil, des chutes de neige, de vagues aperçus de paysages striés de glace. Le Havre était un paradis tropical à côté de cette désolation ! Et il n'ignorait pas que la face nocturne, quelques centaines de kilomètres plus loin à peine sur la courbe d'Europe, était infiniment pire.

Il fut très étonné que les conditions météorologiques changent brusquement juste avant qu'ils atteignent leur but. Les nuages se dissipèrent... et ils virent se dresser devant eux un gigantesque mur noir, de près de mille mètres de haut, directement en travers de la ligne de vol de *Bill Tee*. Il était si énorme qu'il devait évidemment créer son propre micro-climat, déviant les vents qui laissaient une zone locale protégée et calme.

Le monolithe était facilement reconnaissable ; à sa base, se trouvaient des centaines de constructions hémisphériques, luisant d'un blanc spectral aux rayons du soleil bas qui avait jadis été Jupiter. Elles avaient tout à fait l'air, pensa

Floyd, de ruches de l'ancien temps, faites en neige ; quelque chose, dans leur aspect, évoquait d'autres souvenirs de la Terre. Van der Berg le devança :

— Des igloos ! Même problème, même solution. Pas d'autres matériaux de construction, par ici, à part la roche, qui est bien trop dure à travailler. Et la faible gravité doit être avantageuse. Certaines de ces coupoles sont très grandes. Je me demande ce qui vit là-dedans...

Ils étaient encore trop loin pour voir du mouvement dans les rues de la petite ville sur le rebord du monde. Et, en s'approchant, ils constatèrent qu'il n'y avait pas de rues.

— C'est Venise, mais en glace, dit Floyd. Rien que des igloos et des canaux.

— Des amphibies ! J'aurais dû m'y attendre. Je me demande où ils sont.

— Nous avons dû leur faire peur. *Bill Tee* est bien plus bruyante à l'extérieur qu'à l'intérieur.

Pendant un moment, Van der Berg fut beaucoup trop occupé à filmer et à faire des rapports à *Galaxy* pour répondre. Enfin, il déclara :

— Nous ne pouvons absolument pas partir sans avoir pris contact ! Vous aviez raison. C'est plus important que le mont Zeus.

— Et ça risque d'être plus dangereux.

— Je ne vois aucune trace de technologie avancée... Rectification. Là, on dirait une vieille antenne radar du XXe siècle ! Vous ne pouvez pas vous rapprocher ?

— Pour nous faire tirer dessus ? Non merci ! D'ailleurs, nous gaspillons notre temps de vol, plus que dix minutes... si vous voulez rentrer à la maison !

— Est-ce que nous ne pourrions pas au moins nous poser pour jeter un coup d'œil ? Il y a un grand rocher plat. Mais où diable est tout le monde ?

— Terrifié, comme moi. Neuf minutes. Je vais faire un survol du patelin. Filmez tout ce que vous pourrez — oui, *Galaxy*, ça va mais nous sommes plutôt occupés, je vous rappelle plus tard.

— Ah, ce truc, je vois ce que c'est. Ce n'est pas un radar

mais quelque chose de presque aussi intéressant. C'est braqué droit sur Lucifer, un four solaire. Pas bête, dans un endroit où le soleil ne change jamais de place... et où l'on ne peut pas faire de feu.

— Huit minutes. Dommage que tout le monde se cache à l'intérieur.

— Ou dans l'eau. Est-ce que nous pourrions aller voir ce grand bâtiment entouré d'une esplanade ? Ça doit être l'hôtel de ville !

Van der Berg montrait une structure beaucoup plus importante que toutes les autres et d'une architecture différente ; elle était composée de cylindres verticaux, comme des tuyaux d'orgues géants. De plus, elle n'était pas uniformément blanche comme les igloos, mais entièrement couverte de marbrures complexes.

— De l'art europien ! s'exclama Van der Berg. C'est une fresque ! Plus près, plus près ! Nous devons absolument enregistrer ça !

Docilement, Floyd descendit plus bas... plus bas... encore plus bas. Il semblait avoir complètement oublié qu'il n'avait presque plus de réserves ; tout à coup, avec un choc de stupeur, Van der Berg comprit qu'il atterrissait.

Le savant arracha son regard du sol qui montait rapidement et regarda son pilote. Tout en restant manifestement maître des commandes de *Bill Tee*, Floyd avait l'air hypnotisé ; il regardait un point fixe, droit devant la navette qui continuait de descendre lentement.

— Qu'est-ce qu'il y a, Chris ? cria Van der Berg. Est-ce que vous savez ce que vous faites ?

— Bien sûr. Vous ne le voyez pas ?

— Quoi ? Qui ça ?

— Cet homme, qui se tient près du plus gros cylindre. *Et il ne porte pas d'appareil respiratoire !*

— Ne faites pas l'imbécile, Chris ! Il n'y a personne !

— Il nous regarde. Il nous fait signe. Je crois recon... Ah, mon Dieu !

— Il n'y a personne ! Personne ! Remontez !

Floyd n'écoutait pas. Il était d'un calme absolu et ce fut

en vrai professionnel qu'il posa *Bill Tee* et coupa le contact exactement à l'instant voulu avant l'atterrissage.

Très consciencieusement, il vérifia tous les instruments et mit en place les systèmes de sécurité. Ce fut seulement après avoir terminé la séquence d'atterrissage qu'il regarda de nouveau par le hublot d'observation, avec une expression perplexe mais heureuse.

— Bonjour, grand-papa, murmura-t-il, mais aux yeux de Van der Berg, il n'y avait personne.

51. UN FANTÔME

JAMAIS, DANS SES PLUS HORRIBLES CAUCHEMARS, LE PR VAN der Berg ne s'était imaginé naufragé sur un monde hostile dans une minuscule capsule spatiale, avec un fou pour lui tenir compagnie. Heureusement, Chris Floyd n'était apparemment pas violent; peut-être pourrait-il le persuader de décoller et de les ramener sains et saufs à *Galaxy*...

Floyd regardait toujours quelque chose d'invisible, en remuant parfois les lèvres, en conversation silencieuse. Le village extraterrestre était complètement désert et paraissait abandonné depuis des siècles. Van der Berg nota tout de même quelques signes d'une occupation récente. Bien que les rétro-fusées de *Bill Tee* eussent balayé la mince couche de neige autour d'eux, le reste de la petite esplanade était encore légèrement poudré. C'était en quelque sorte une page arrachée d'un livre, couverte de signes dont il était capable de lire certains.

Un objet lourd avait été traîné ou avait lourdement roulé de lui-même. Partant de l'entrée fermée d'un igloo, on reconnaissait la piste d'un véhicule à roues. Trop loin pour en distinguer les détails, il y avait un petit objet, peut-être une boîte ou un bidon, jeté ; les Europiens seraient alors aussi négligents que les humains...

La présence de la vie était flagrante, ostensible ; Van der Berg avait l'impression d'être observé par mille paire d'yeux — ou par d'autres sens — et il n'y avait aucun moyen de savoir si les esprits derrière ces yeux étaient amicaux ou hostiles. Peut-être étaient-ils simplement indifférents, dans l'attente que les intrus s'en aillent, afin de reprendre leurs mystérieuses activités interrompues.

Chris parla de nouveau au vide :

— Au revoir, grand-papa, dit-il calmement, avec une certaine tristesse. Puis il se tourna vers Van der Berg et lui déclara sur un ton tout à fait normal : Il dit qu'il est temps que nous partions. Vous devez me croire fou, n'est-ce pas ?

Il serait plus prudent, pensa Van der Berg, de ne rien répondre. D'ailleurs, il eut bientôt une autre cause de souci.

Floyd examinait anxieusement les imprimantes que lui crachait *Bill Tee*. Finalement il annonça :

— Van, je suis désolé. Cet atterrissage a consommé plus que ce que je pensais. Nous devons modifier le profil de la mission.

Façon tortueuse, pensa lugubrement Van der Berg, d'annoncer « Nous ne pouvons pas retourner à *Galaxy*. » Non sans difficulté, il parvint à ravaler « Au diable votre grand-père ! » et demanda simplement :

— Qu'est-ce qu'on va faire, alors ?

Floyd examinait toujours l'imprimante et introduisait de nouvelles données.

— Nous ne pouvons pas rester ici. (Pourquoi pas ? se demanda Van der Berg. Si nous devons mourir, autant profiter du temps qui nous reste pour en apprendre le plus possible.) Il nous faut donc trouver un endroit où la navette d'*Univers* nous repérera facilement.

Van der Berg poussa mentalement un énorme soupir de soulagement. Il était idiot de ne pas y avoir pensé. Il se faisait l'effet d'un homme qui obtient un sursis alors qu'il monte à l'échafaud. *Univers* devait arriver dans moins de quatre jours. Les aménagements de *Bill Tee* étaient loin d'être luxueux mais certainement préférables à tout ce qu'il pouvait imaginer ici.

— Trouver un temps plus clément... une surface plane, stable... plus près de *Galaxy* mais je ne crois pas que ce soit très important... Il ne devrait pas y avoir de problème. Nous avons de quoi parcourir cinq cents kilomètres, mais nous ne pouvons pas risquer une traversée de la mer.

Pendant quelques instants, Van der Berg songea avec nostalgie au mont Zeus ; il y avait tant à faire là-bas ! Mais les turbulences sismiques, qui ne cessaient de s'intensifier alors qu'Io se mettait en ligne avec Lucifer, écartaient totalement cette possibilité. Il se demanda si ses instruments fonctionneraient toujours et se promit de les vérifier une nouvelle fois, dès qu'ils auraient résolu leur problème.

— Je vais survoler la côte jusqu'à l'équateur. Ce sera d'ailleurs le meilleur endroit pour un atterrissage de navette. La carte radar indique plusieurs zones plates unies juste à l'intérieur des terres, vers les 60 Ouest.

— Je sais. Le plateau de Masada.

(Et peut-être, se dit Van der Berg, l'occasion d'autres explorations. Il ne faut jamais négliger les chances inattendues...)

— Va pour le plateau. Adieu Venise. Au revoir, grand-papa !

Quand le rugissement étouffé des rétro-fusées se tut, Chris Floyd brancha pour la dernière fois les circuits de sécurité, déboucla sa ceinture et étira ses bras et ses jambes, autant que le permettait l'espace réduit.

— Pas un si vilain panorama, pour Europe, dit-il gaiement. Nous avons maintenant quatre jours devant nous pour découvrir si les rations de la navette sont aussi mauvaises qu'on le prétend. Alors... Lequel de nous deux va se mettre à parler le premier ?

52. SUR LE DIVAN

J'AURAIS DÛ ÉTUDIER LA PSYCHOLOGIE, PENSAIT VAN DER Berg, alors je saurais trouver les motivations de son illusion. Il paraît pourtant tout à fait sain d'esprit maintenant, à part cet unique sujet.

Presque n'importe quel siège était confortable à 0,6 de gravité mais Floyd avait fait basculer le sien en position couchée et avait croisé ses mains sous sa tête. Van der Berg se souvint tout à coup que c'était la position classique du patient, au temps de la vieille analyse freudienne, pas encore totalement discréditée.

Il était heureux de laisser son compagnon parler le premier, en partie par simple curiosité mais surtout parce qu'il espérait que plus vite Floyd se soulagerait de ce qu'il avait à dire, plus vite il serait guéri... ou rendu au moins inoffensif. Mais il n'était pas tellement optimiste ; il devait y avoir eu un grave problème mental, bien enraciné, pour provoquer une illusion aussi puissante.

Il fut très déconcerté de découvrir que Floyd était parfaitement d'accord avec lui et avait déjà fait son propre diagnostic.

— Ma note psy de recrutement était de A-1, révéla-t-il, ce qui signifie qu'on m'a même permis de parcourir mon propre dossier, et seuls dix pour cent des candidats environ obtiennent ce droit. Alors je suis aussi stupéfait que vous l'êtes... Mais j'ai bien *vu* mon grand-père et il m'a parlé. Je n'ai jamais cru aux fantômes — qui y croit? — mais cette vision doit vouloir dire qu'il est mort. Je regrette de ne pas l'avoir mieux connu. Je me faisais une joie de nos retrouvailles... Quand même, maintenant j'ai un souvenir...

Van der Berg rompit le bref silence :

— Dites-moi *exactement* ce qu'il a dit.

Chris sourit faiblement et répondit :

— Je n'ai jamais eu une mémoire infaillible et j'étais tellement abasourdi que je ne peux pas vous répéter ça mot pour mot... C'est bizarre... En y réfléchissant, je ne crois pas qu'il ait employé de mots.

Encore pire ! pensa Van der Berg ; de la télépathie en plus de la survie après la mort ! Mais il se contenta de demander :

— Donnez-moi alors l'essentiel de ce... de cette conversation. Je ne vous ai pas entendu parler, vous savez.

— C'est vrai. Il m'a dit quelque chose comme... « Je voulais te revoir et je suis très heureux. Je suis sûr que tout va très bien marcher et qu'*Univers* vous recueillera bientôt. »

Message spirite typiquement insignifiant, se dit Van der Berg. Ils ne disent jamais rien d'utile ni d'étonnant, ils reflètent simplement les espoirs et les craintes de l'auditeur. Pas d'échos d'informations du subconscient...

— Et après?

— Après, je lui ai demandé où étaient les habitants, pourquoi cet endroit était si désert. Il a ri et m'a fait une réponse que je ne comprends toujours pas, je ne peux pas la citer exactement, quelque chose comme : « Je sais que vous ne pensiez pas à mal... quand nous vous avons vus arriver, nous avons à peine eu le temps de donner l'alerte. Et les — là il a employé un mot que je serais incapable de prononcer même si je me le rappelais — sont entrés dans l'eau, ils peuvent se déplacer très silencieusement quand il le faut ! Ils ne ressortiront pas avant votre départ, quand le vent aura chassé le poison. » Qu'est-ce qu'il a bien pu vouloir dire par là ? Notre échappement est filtré et sain... et d'ailleurs cette atmosphère est déjà presque entièrement faite de vapeur.

Ma foi, se dit Van der Berg, il est normal qu'une illusion — ou un rêve — n'ait pas de sens logique. Cette idée de « poison » symbolise peut-être une terreur subconsciente de Chris, qu'il est incapable d'affronter en dépit de son excellente note psychologique. Quoi que ce soit, ça ne me concerne pas. Du poison, vraiment ! Le propulsif de *Bill Tee* est de l'eau pure, distillée, envoyée par Ganymède sur orbite... Mais, un instant ! Quelle est sa température, à la sortie de la tuyère ? Il me semble avoir lu quelque part...

— Chris, demanda-t-il avec précaution, une fois que l'eau est passée par le réacteur, est-ce qu'elle ressort entièrement sous forme de vapeur ?

— Que voulez-vous qu'elle devienne ? Oh, bien sûr, si nous surchauffons vraiment, dix à quinze pour cent se séparent en hydrogène et oxygène.

En oxygène ! Van der Berg fut parcouru d'un brusque frisson, bien que la température de la navette fût agréable. Il était tout à fait improbable que Floyd comprît les implications de ce qu'il venait de dire ; cela ne faisait pas partie de son domaine de connaissances.

— Savez-vous, Chris, que pour les organismes primitifs de la Terre et certainement pour des créatures vivant dans une atmosphère comme celle d'Europe, l'oxygène est un poison mortel ?

— Vous plaisantez !

— Pas du tout. C'est même un poison pour nous, à haute pression.

— Oui, ça je le sais. On nous l'a appris aux cours de plongée.

— Votre... grand-père disait vrai. C'est comme si nous avions vaporisé des gaz sur cette ville. Enfin, pas aussi grave... ce sera très vite dispersé.

— Ainsi, vous me croyez, maintenant !

— Je n'ai jamais dit que je ne vous croyais pas.

— Vous auriez été fou de le dire.

Cela brisa la tension et ils rirent de bon cœur, tous les deux.

— Vous ne m'avez pas dit comment il était habillé.

— Il portait une vieille robe de chambre démodée, exactement comme du temps où j'étais petit. Il avait l'air bien à l'aise.

— Pas d'autres détails ?

— Maintenant que vous m'y faites penser, il paraissait beaucoup plus jeune, il avait plus de cheveux que la dernière fois où je l'ai vu. Alors je ne crois pas que c'était... qu'il était — comment dire ? — réel. Plutôt quelque chose comme une image d'ordinateur. Ou un hologramme synthétique.

— Le monolithe !

— Oui, c'est ce que j'ai pensé. Vous vous rappelez comment Dave Bowman est apparu à mon grand-père à bord de *Leonov* ? C'est peut-être son tour, maintenant. Mais pourquoi ? Il ne m'a donné aucun avertissement, il ne m'a transmis aucun message particulier. Il voulait simplement me dire adieu et me souhaiter bonne chance...

Pendant quelques instants embarrassants, la figure de Floyd se convulsa mais il se ressaisit vite et sourit à son compagnon.

— J'ai assez parlé. À vous, maintenant, d'expliquer ce que fait un diamant d'un million de millions de tonnes sur un monde composé de glace et de soufre. Ce doit être une drôle d'histoire !

— C'en est une, reconnut le Pr Rolf Van der Berg.

53. COCOTTE-MINUTE

— ALORS QUE JE FAISAIS MES ÉTUDES À FALSTAFF, COMmença Van der Berg, je suis tombé sur un vieil ouvrage d'astronomie qui affirmait : « Le système solaire se compose du Soleil, de Jupiter et de divers débris. » Ça remettait un peu la Terre à sa place, hein ? Et c'était plutôt injuste pour Saturne, Uranus et Neptune, les trois autres géants gazeux qui font près de la moitié de Jupiter.

» Mais il vaut mieux que je commence par Europe. Comme vous le savez, c'était de la glace lisse avant que Lucifer se mette à la chauffer, sa plus haute altitude n'atteignait pas deux cents mètres, et elle n'a guère changé après que la glace a fondu et émigré pour se recongeler sur la face nocturne. De 2015, le début de nos observations détaillées, jusqu'en 2038, il n'y a eu qu'un seul point culminant sur tout le satellite... et nous le connaissons !

— Oui, nous le connaissons ! Mais même après l'avoir vu de mes propres yeux, je n'arrive pas à imaginer le monolithe comme un *mur*. Je me le suis toujours figuré vertical, ou flottant librement dans l'espace.

— Je crois que nous avons appris qu'il peut prendre toutes sortes de formes, tout ce que nous pouvons imaginer et même au-delà... Il est évident qu'il est arrivé quelque chose à Europe en 2037, entre une observation et la suivante. Le mont Zeus est subitement apparu, avec ses dix mille mètres d'altitude ! Des volcans aussi énormes ne surgissent pas comme ça en quinze jours. Et d'ailleurs, Europe est beaucoup moins active qu'Io.

— C'est bien assez actif pour moi, grommela Floyd. Vous avez senti la dernière secousse ?

— Et si ç'avait été un volcan, il aurait caché une énorme quantité de gaz dans l'atmosphère ; il y a eu des changements, mais pas assez pour que cette explication soit la bonne. C'était un mystère absolu, et comme nous avions peur de trop nous approcher, et parce que nous étions absorbés par nos propres projets, nous n'avons pas fait grand-chose, sauf élaborer des théories fantastiques. Dont aucune, finalement, n'était aussi fantastique que la vérité...

» J'ai commencé à m'en douter un peu par hasard, à la suite des observations de 2057 mais je ne les ai pas prises au sérieux avant deux ans. A ce moment-là, j'ai dû me rendre à l'évidence ; pour quelque chose de moins bizarre, cela aurait été absolument convaincant.

» Mais avant de me laisser aller à croire que le mont Zeus n'était qu'un seul diamant, je devais trouver une explication. Pour un bon esprit scientifique, et je crois en avoir un, aucune réalité n'est respectable tant qu'il n'y a pas de théorie pour l'expliquer. La théorie peut se révéler fausse — elle l'est généralement, tout au moins pour quelques détails — mais elle doit fournir au moins une hypothèse de travail.

» Et, comme vous l'avez fait observer, un million de millions de tonnes de diamant, dans un monde de glace et de soufre, ce n'est pas commode à expliquer. Naturellement, maintenant que c'est parfaitement évident, je me dis que j'ai été un imbécile de ne pas avoir vu la solution il y a des années. Ça nous aurait évité pas mal d'ennuis... et aurait au moins épargné une vie.

Van der Berg s'interrompit, un instant songeur, puis il demanda brusquement à Floyd :

— Est-ce qu'on a mentionné devant vous le professeur Paul Kreuger ?

— Non, pourquoi ? J'ai entendu parler de lui, bien sûr.

— Simple curiosité. Il s'est passé beaucoup de choses bizarres et je doute que nous en connaissions un jour toutes les explications.

» Bref, ce n'est plus un secret, alors ça n'a plus d'importance. Il y a deux ans, j'ai envoyé un message confidentiel à Paul. Ah, pardon, j'oubliais de vous dire... C'est mon oncle. Je lui ai donc envoyé un résumé de mes découvertes, en lui demandant s'il pouvait les expliquer, ou les réfuter.

» Il n'a pas mis longtemps, en virtuose de l'informatique qu'il est. Malheureusement, il a été négligent ou quelqu'un était à l'écoute de son réseau... Vos *amis*, j'en suis sûr, quels qu'ils soient, doivent s'être fait une assez bonne idée de ce qui s'est passé, depuis.

» En deux jours, il a exhumé un article vieux de quatre-vingts ans, dans la revue scientifique *Nature* — oui, c'était encore imprimé sur papier, dans ce temps-là ! — qui expliquait tout. Enfin, presque tout.

» L'auteur travaillait pour un des grands laboratoires des États-Unis — d'Amérique, bien sûr, les USSA n'existaient pas encore. C'était un établissement où l'on fabriquait les armes nucléaires, alors on y était au courant des hautes températures et des pressions...

» Je ne sais pas si le Pr Ross, c'était son nom, s'occupait des bombes, mais ses fonctions ont dû l'amener à réfléchir à la composition du noyau des planètes géantes. Dans son article de 1984 — pardon, de 1981 —, d'une demi-page seulement, incidemment, il avançait des suggestions très intéressantes...

» Il faisait observer qu'il y avait dans les géants gazeux d'énormes quantités de carbone, sous forme de méthane, CH_4. Jusqu'à soixante-dix pour cent de la masse totale ! Il calculait que sous les pressions et les températures du noyau — des millions d'atmosphères — le carbone se séparait, tombait vers le centre et, vous avez deviné, se *cristallisait*. C'était une superbe théorie. Jamais il n'a dû imaginer qu'il y avait un espoir de l'avérer !

» Ça, c'est la première partie de l'histoire. Par certains côtés, la deuxième partie est encore plus intéressante. Il reste encore du café ?

— Tenez... Et je crois avoir déjà deviné la deuxième partie. En rapport avec l'explosion de Jupiter, évidemment.

— Non, pas explosion. Implosion. Jupiter s'est simplement effondrée sur elle-même, et puis s'est enflammée. Un peu comme la détonation d'une bombe nucléaire, à cette différence que le nouvel état était stable, en un mot un mini-soleil.

» Or, il se passe des choses très bizarres au cours d'une implosion ; presque comme si des éclats se traversent mutuellement et ressortent de l'autre côté. Quel que soit le mécanisme, un morceau du noyau de diamant a été projeté sur orbite.

» Il a dû faire des centaines de révolutions, perturbé par le champ de gravité de tous les satellites, avant de finir sur Europe. Et les conditions devaient être particulièrement propices, Europe et le diamant se trouvant en conjonction sur des orbites proches pour que la vitesse d'impact ne soit que de deux kilomètres-seconde. S'ils s'étaient heurtés de front... eh bien il n'y aurait pas d'Europe aujourd'hui, encore moins de mont Zeus. Et il m'arrive de faire des cauchemars quand je pense qu'il aurait très bien pu tomber sur Ganymède...

» La nouvelle atmosphère a pu aussi amortir l'impact mais, même alors, le choc a dû être effroyable. Je me demande comment ont réagi nos amis européens. Il a certainement déclenché toute une série de turbulences tectoniques... qui continuent aujourd'hui.

— Et sur Terre des turbulences politiques, dit Floyd. Je commence à peine à en comprendre quelques-unes. Pas étonnant que les USSA se soient inquiétés.

— Entre autres.

— Mais comment imaginer qu'il soit possible de faire main basse sur ces diamants ?

— Nous y sommes bien arrivés, répondit Van der Berg en faisant un geste vers l'arrière de la navette. Quoi qu'il en soit, le simple effet psychologique sera énorme sur l'industrie. C'est pourquoi tant de gens tenaient tellement à savoir si c'était vrai ou non.

— Et maintenant, ils savent. Alors que va-t-il se passer ?

— Ce n'est pas mon problème, Dieu merci. Mais j'espère avoir apporté une importante contribution au budget de Ganymède.

Et au mien, pensa Van der Berg.

54. RÉUNION

— QU'EST-CE QUI A BIEN PU TE FAIRE CROIRE QUE J'ÉTAIS mort ? s'écria Heywood Floyd. Je n'ai pas été en meilleure forme depuis des années !

Paralysé par la stupeur, Chris Floyd regardait fixement la grille du haut-parleur. Il éprouvait un immense soulagement mais aussi une certaine indignation. « Quelqu'un », « quelque chose », lui avait joué un tour, mais pour quelle raison ?

À cinquante millions de kilomètres, et se rapprochant de plusieurs centaines de kilomètres par seconde, Heywood Floyd avait aussi des accents quelque peu indignés. Mais sa voix était quand même vigoureuse et enjouée, résonnant du bonheur évident de savoir Chris sain et sauf.

— Et j'ai de bonnes nouvelles pour toi ; la navette te ramènera en premier. Elle lâchera des fournitures médicales urgentes sur *Galaxy* et puis fera un saut pour te prendre et t'amener au rendez-vous avec nous à la prochaine orbite.

Univers descendra cinq orbites plus tard. Tu pourras accueillir tes camarades quand ils arriveront à bord.

» J'en ai assez dit pour le moment, sauf que je me fais une joie de rattraper le temps perdu. J'attends ta réponse dans... voyons un peu... environ trois minutes...

Pendant un long moment, un silence total régna dans *Bill Tee*. Van der Berg n'osait regarder son compagnon. Enfin, Floyd reprit le micro et dit lentement :

— Grand-papa... Quelle merveilleuse surprise ! Je suis encore en état de choc. Mais je *sais* que je t'ai rencontré ici sur Europe, je sais que tu m'as dit adieu. J'en suis aussi certain que je le suis de t'avoir entendu à l'instant...

» Enfin, nous aurons tout le temps de parler de ça plus tard. Mais rappelle-toi comment Dave Bowman t'a parlé, à bord de *Discovery*. C'était peut-être quelque chose comme ça...

» Nous allons maintenant attendre tranquillement que la navette vienne nous chercher. Nous sommes très confortablement installés. Il y a de temps en temps un séisme, mais rien d'inquiétant. À tout à l'heure, avec toute mon affection.

Il ne se rappelait pas quand il avait employé ce mot en s'adressant à son grand-père.

Après le premier jour, la navette commença à sentir. Le deuxième jour, ils ne le remarquèrent plus mais reconnurent tous deux que les aliments n'avaient plus si bon goût. Ils éprouvaient aussi plus de difficultés à dormir et il y avait même des accusations de ronflements.

Le troisième jour, malgré de fréquents bulletins d'*Univers*, de *Galaxy* et de la Terre elle-même, l'ennui les gagna ; ils avaient épuisé leur stock d'histoires salaces.

Mais ce fut le dernier jour. Avant qu'il se termine, *Lady Jasmine* descendit à la recherche de son enfant perdu.

55. MAGMA

— BAAS, DIT LE MAÎTRE COMSET DE L'APPARTEMENT, PENdant que vous dormiez, j'ai eu accès à ce programme spécial de Ganymède. Vous voulez le voir maintenant ?

— Oui, répondit le Pr Paul Kreuger. Vitesse dix. Sans le son.

Il savait qu'il pouvait sauter les préliminaires, il les reverrait plus tard, quand il le souhaiterait. Il voulait arriver à l'action le plus tôt possible.

Le générique passa en accéléré et puis Victor Willis apparut sur l'écran, quelque part sur Ganymède, gesticulant follement dans un silence total. Le Pr Paul Kreuger, comme beaucoup de savants, n'avait pas une très bonne opinion de Willis, tout en reconnaissant qu'il exerçait une fonction utile.

Willis disparut brusquement et fut remplacé par un sujet moins agité : le mont Zeus. Mais il était beaucoup plus actif qu'une montagne bien élevée avait le droit de l'être ; le

Pr Kreuger fut ahuri de voir combien il avait changé depuis la dernière émission d'Europe.

— Temps réel, ordonna-t-il. Avec le son.

— ... près de cent mètres par jour, et l'inclinaison a augmenté de quinze degrés. Activité tectonique violente, à présent... coulées de lave excessives autour de la base. J'ai le Pr Van der Berg avec moi. Qu'en pensez-vous, Van ?

Mon neveu me paraît en excellente forme, pensa le Pr Kreuger, quand on pense à ce qui lui est arrivé. Bon sang ne saurait mentir, naturellement...

— La croûte ne s'est manifestement jamais remise de l'impact initial, et elle cède sous des tensions accumulées. Le mont Zeus ne cesse de s'enfoncer lentement depuis que nous l'avons découvert, mais ces dernières semaines le mouvement s'est considérablement accéléré. On peut le constater à l'œil nu, de jour en jour.

— Combien de temps avant qu'il disparaisse completement ?

— Je ne puis croire que cela arrivera...

L'image passa rapidement à une autre vue de la montagne, avec la voix off de Victor Willis :

— Cela, c'était ce que le Pr Van der Berg disait il y a deux jours. Pas de commentaire maintenant, Van ?

— Euh... on dirait que je me suis trompé. Il descend comme un ascenseur. Tout à fait incroyable... il ne reste plus que cinq cents mètres ! Je refuse de faire d'autres prédictions...

— Très sage, Van. Allons, cela ce n'était qu'hier. Maintenant, nous allons vous présenter une séquence en laps de temps continu, jusqu'au moment où nous avons perdu la caméra...

Le Pr Kreuger se pencha dans son siège, pour regarder le dernier acte du long drame dans lequel il avait joué un rôle si lointain et pourtant vital.

Ce n'était pas la peine d'accélérer la rediffusion ; il l'observait déjà à cent fois la vitesse normale. Une heure était comprimée en une minute, une vie humaine dans celle d'un papillon.

Sous ses yeux, le mont Zeus s'enfonçait. Des jets de soufre en fusion jaillissaient vers le ciel, tout autour, à une rapidité éblouissante, formant des paraboles d'un bleu électrique étincelant. Cela ressemblait à un navire sombrant dans une mer tumultueuse, entouré de feux Saint-Elme. Les spectaculaires volcans d'Io eux-mêmes ne pouvaient rivaliser avec une telle manifestation de violence.

— Le plus grand trésor jamais découvert disparaît à nos yeux, dit Willis d'une voix solennelle. Malheureusement, nous ne pouvons montrer le final. Vous verrez bientôt pourquoi.

L'action revint au temps réel. Il ne restait plus que quelques centaines de mètres de la montagne et les éruptions se ralentissaient.

Soudain, toute l'image bascula ; les stabilisateurs d'image de la caméra, qui avaient vaillamment tenu bon contre le tremblement continuel du sol, renonçaient au combat. Pendant un moment, on eut l'impression que la montagne se soulevait de nouveau, mais c'était le trépied de la caméra qui se renversait. La toute dernière scène d'Europe fut un gros plan d'une vague scintillante de soufre en fusion sur le point de submerger le matériel.

— Disparu à jamais ! se lamenta Willis. Des richesses infiniment plus grandes que celles que Golconde ou Kimberley ont jamais produites ! Quelle perte tragique !

— Quel fichu imbécile ! marmonna le Pr Kreuger. Il ne comprend donc pas...

Il était temps de rédiger une nouvelle communication pour *Nature*. Et ce secret-là était bien trop important pour rester caché.

56. LA THÉORIE DE LA PERTURBATION

De : Pr Paul Kreuger, F.R.S., etc.
A : Rédacteur en chef, Banque de données de Nature *(accès public)*

OBJET : *LE MONT ZEUS ET LES DIAMANTS JUPITÉRIENS*

Comme on le sait aujourd'hui, la formation europienne connue sous le nom de mont Zeus faisait à l'origine partie de Jupiter. La suggestion selon laquelle le noyau des géants gazeux pourrait être composé de diamant fut avancée pour la première fois par Marvin Ross, du laboratoire national Lawrence Livermore à l'université de Californie, dans un article classique : «La couche de glace d'Uranus et de Neptune — des diamants dans le ciel?» (Nature, *vol. 292, N° 5822, p. 435-36, 30 juillet 1981). Curieusement, Ross n'étendait pas ses calculs à Jupiter.*

L'engloutissement du mont Zeus a provoqué un véritable chœur de lamentations, toutes absolument ridicules, pour les raisons données ci-dessous.

Sans entrer dans les détails, qui seront présentés dans une prochaine communication, j'estime que le noyau de diamant de Jupiter devait avoir une masse originelle d'au moins 10^{28} grammes. C'est-à-dire dix milliards de fois celle du mont Zeus.

Si une grande partie de ce matériau a sans aucun doute été réduite lors de l'explosion de la planète et de la formation du soleil — apparemment artificiel — Lucifer, il est inconcevable que le mont Zeus ait été le seul fragment à survivre. Bien qu'une masse importante ait dû retomber sur Lucifer, il est probable qu'un pourcentage important est parti sur orbite... et doit y être encore. *La théorie de la perturbation élémentaire indique qu'il reviendra périodiquement à son point d'origine. Naturellement, il n'est pas possible de faire un calcul exact, mais j'estime qu'au moins un million de fois la masse du mont Zeus orbite toujours dans le voisinage de Lucifer. La perte d'un petit fragment, d'ailleurs fort peu commodément situé sur Europe, est par conséquent sans grande importance. Je propose d'établir, dès que possible, un système radar spécial pour la recherche de ce matériau.*

Bien qu'une pellicule de diamant extrêmement fine ait été produite en grande série dès 1987, il n'a jamais été possible de fabriquer du diamant en masse. Sa disponibilité par méga-tonnes transformerait totalement de nombreuses industries et en créerait de nouvelles. Plus particulièrement, comme l'ont fait observer Isaacs et d'autres, il y a près de cent ans (voir Science, *Vol. 151, p. 682-83, 1966), le diamant est le seul matériau de construction qui rendrait possible ce que l'on appelle l'ascenseur spatial, permettant le transport loin de la Terre à un coût négligeable. Les montagnes de diamant actuellement en orbite parmi les satellites de Jupiter pourraient ouvrir tout le système solaire. Par comparaison, toutes les anciennes utilisations de ce type de cristal de carbone paraissent bien dérisoires!*

Pour être complet, j'aimerais mentionner un autre site possible contenant d'énormes quantités de diamant, un lieu malheureusement encore plus inaccessible que le noyau d'une planète géante...

On a avancé que la croûte des étoiles à neutrons pourrait être composée de diamant. Comme la plus voisine de ces étoiles connues se trouve à quinze années-lumière et a une gravité de surface de soixante-dix millions de fois celle de la Terre, on ne peut guère les considérer comme des fournisseurs plausibles.

Mais aussi... Qui aurait pu imaginer qu'un jour nous serions capables de toucher le noyau de Jupiter?

57. INTERLUDE SUR GANYMÈDE

— CES PAUVRES COLONS PRIMITIFS! SE LAMENTA MIHAILO-vitch. Je suis horrifié! Il n'y a pas un seul piano à queue de concert sur tout Ganymède! Naturellement, le dé à coudre d'optronique dans son synthétiseur peut reproduire n'importe quel instrument. Mais un Steinway est quand même un Steinway... Tout comme un Stradivarius reste un Stradivarius!

Ses plaintes, tout en n'étant pas entièrement sérieuses, avaient déjà suscité des contre-réactions dans les milieux intellectuels locaux. L'émission populaire *Mède Matin* avait même commenté perfidement : « En nous honorant de leur présence, nos voyageurs distingués ont — ne serait-ce que provisoirement — haussé le niveau culturel des deux mondes... »

L'attaque visait principalement Willis, Mihailovitch et M'Bala, qui avaient essayé avec un peu trop d'enthousiasme d'éclairer les indigènes arriérés. Maggie M. avait provoqué tout un scandale avec un récit sans vergogne sur les amours torrides de Zeus-Jupiter avec Io, Europe, Ganymède et Callisto. Apparaître à la nymphe Europe sous la forme d'un taureau blanc était déjà assez choquant, et ses tentatives pour soustraire Io et Callisto à la fureur compréhensible de son épouse Héra étaient franchement pitoyables. Mais ce qui troublait beaucoup d'habitants du satellite, c'était d'apprendre que les amours de Zeus et de Ganymède étaient encore plus perverses.

Pour leur rendre justice, les intentions des ambassadeurs culturels autodésignés étaient tout à fait louables, sinon entièrement désintéressées. Sachant qu'ils allaient rester en souffrance sur Ganymède pendant des mois, ils comprenaient les dangers de l'ennui, une fois que la nouveauté de la situation serait émoussée. Et ils souhaitaient aussi utiliser au mieux leurs talents, pour le bien de tout le monde. Mais tout le monde ne souhaitait pas en bénéficier — ou n'en avait pas le temps — sur cette frontière de haute technologie du système solaire.

Yva Merlin, en revanche, s'intégrait à la perfection et s'amusait beaucoup. Malgré sa célébrité sur la Terre, très peu de Mèdes avaient entendu parler d'elle. Elle pouvait errer par les corridors publics et les coupoles pressurisées de Ganymède Central sans qu'on se retourne sur son passage ou qu'on échange des chuchotements surexcités. À vrai dire, elle était reconnue, certainement, mais seulement comme un des visiteurs de la Terre.

Greenberg, avec sa modestie habituelle discrètement efficace, s'était intégré dans la structure administrative et technologique du satellite et siégeait déjà dans une demi-douzaine de conseils. Ses services étaient tellement appréciés qu'on l'avertit qu'il n'aurait peut-être pas le droit de repartir.

Heywood Floyd observait les activités de ses compagnons de bord avec amusement, mais n'y participait pas. Son principal souci était d'établir des ponts avec Chris et de l'aider à préparer son avenir. Maintenant qu'*Univers* — avec moins de cent tonnes de combustible dans ses réservoirs — était en sécurité sur Ganymède, il y avait beaucoup à faire.

La reconnaissance de tous les voyageurs de *Galaxy* envers

leurs sauveteurs avait facilité la fusion des deux équipages ; quand les préparations, les révisions et le ravitaillement seraient terminés, ils repartiraient ensemble pour la Terre. La nouvelle que Sir Lawrence préparait déjà les contrats pour un *Galaxy II* très amélioré avait grandement remonté le moral, même si la construction du nouveau vaisseau ne pourrait commencer avant que les avocats aient réglé leur différend avec les Lloyds. Les assureurs s'entêtaient à prétendre que le crime de piratage spatial n'était pas couvert par leurs polices.

Quant au crime lui-même, personne n'avait été inculpé, ni même accusé. De toute évidence, le détournement avait été soigneusement préparé, au cours d'une période de plusieurs années, par une organisation efficace et bien financée. Les États-Unis d'Afrique du Sud (USSA) protestaient bruyamment de leur innocence et réclamaient une enquête officielle. Der Bund exprimait aussi son indignation et accusait naturellement Shaka.

Le Pr Kreuger ne s'étonnait pas de trouver dans son courrier des messages anonymes le qualifiant de traître. Ils étaient généralement en afrikaans mais contenaient parfois de subtiles fautes de grammaire ou de phraséologie qui le firent soupçonner que cela faisait partie d'une campagne de désinformation.

Après réflexion, il les transmit à Astropol, «qui doit déjà les avoir», se dit-il. Astropol le remercia mais, comme il s'y attendait, ne fit aucun commentaire.

De temps en temps, les lieutenants Floyd et Chang, ainsi que d'autres membres de l'équipage de *Galaxy,* étaient invités aux meilleurs dîners de Ganymède, par les deux mystérieux outre-mondiens dont Floyd avait déjà fait la connaissance. Quand les bénéficiaires de ces repas franchement décevants les évoquaient ensuite, ils en venaient à la conclusion que leurs interrogateurs essayaient d'étayer une affaire contre Shaka mais n'y arrivaient pas trop bien.

Le Pr Van der Berg qui avait tout déclenché — et s'en tirait admirablement, professionnellement et financièrement — se demandait maintenant que faire de ses nouvelles perspectives. Il avait reçu beaucoup d'offres séduisantes d'universités et d'organisations scientifiques de la Terre, mais par une ironie du sort il ne pouvait en profiter. Il vivait depuis trop longtemps dans le sixième de gravité de Ganymède et avait dépassé le point médical de non-retour.

La Lune demeurait une possibilité, Pasteur aussi, comme le lui expliqua Heywood Floyd :

— Nous essayons d'y créer une université spatiale, pour que les outre-mondiens incapables de supporter 1 G puissent quand même avoir des rapports en temps réel avec des gens sur Terre. Nous aurons des salles de conférences, des amphithéâtres, des laboratoires, certains simplement reproduits par informatique mais ils auront l'air si vrais que vous vous y tromperez. Et vous pourrez faire du vidéo-lèche-vitrine sur Terre, pour dépenser vos biens mal acquis.

À son étonnement, Floyd n'avait pas seulement retrouvé un petit-fils mais se découvrait un neveu ; il était maintenant lié à Van der Berg autant qu'à Chris, par un assemblage unique d'aventures partagées. Il y avait, surtout, le mystère de son apparition dans la ville européenne abandonnée, en présence du monolithe.

Chris n'éprouvait pas l'ombre d'un doute.

— Je t'ai vu et je t'ai entendu, aussi clairement qu'en ce moment, dit-il à son grand-père. Mais tes lèvres ne remuaient pas, et le plus bizarre, c'était que justement je ne trouvais pas ça bizarre. Cela me paraissait tout à fait normal. Tout l'incident avait quelque chose de... de détendu. Un peu triste. Non, nostalgique conviendrait mieux. Ou peut-être résigné.

— Nous ne pouvions nous empêcher de penser à votre rencontre avec Bowman à bord de *Discovery*, précisa Van der Berg.

— J'ai essayé de l'appeler par radio avant que nous nous posions sur Europe. C'était peut-être naïf, mais je n'imaginais pas d'autre moyen d'entrer en communication avec lui. J'étais sûr qu'il était là, sous une forme ou une autre.

— Et vous n'avez reçu aucune espèce de réponse ?

Floyd hésita. Le souvenir s'estompait vite mais il se rappela subitement cette nuit où le monolithe en réduction lui était apparu dans sa cabine.

Rien ne s'était passé et pourtant, à partir de ce moment, il avait senti que Chris était sain et sauf et qu'ils se reverraient.

— Non, murmura-t-il. Je n'ai pas reçu la moindre réponse.

Après tout, cela avait pu être un rêve.

VIII. Le royaume
de soufre

58. FEU ET GLACE

Avant la naissance de l'ère de l'exploration planétaire, à la fin du XXᵉ siècle, peu de savants croyaient que la vie pouvait exister sur un monde aussi éloigné du Soleil. Et pourtant, pendant un demi-milliard d'années, les mers cachées d'Europe avaient été au moins aussi prolifiques que celles de la Terre.

Précédant l'embrasement de Jupiter, une croûte de glace avait protégé ces océans du vide qui les entourait. Presque partout, la glace était épaisse de milliers de mètres mais il existait des lignes de faiblesse là où elle s'était fracturée et séparée. Il y avait eu alors une brève bataille entre deux éléments implacablement hostiles, qui n'entraient en contact direct sur aucun autre monde du système solaire : la guerre entre mer et espace se terminait toujours par le même « match nul » ; l'eau exposée bouillait et gelait simultanément et réparait son bouclier de glace.

Sans l'influence de sa voisine Jupiter, Europe aurait eu ses eaux complètement solidifiées depuis longtemps. Le noyau de ce petit monde était constamment travaillé par sa force de gravité ; les forces qui convulsaient Io étaient également à l'œuvre ici, mais beaucoup moins violemment. Le tir à la corde entre planète et satellite provoquait continuellement des séismes sous-marins et des avalanches qui balayaient à une vitesse inconcevable les plaines abyssales.

D'innombrables oasis étaient disséminées à travers ces plaines, chacune s'étendant sur quelques centaines de mètres autour d'une corne d'abondance d'eaux minérales jaillissant de l'intérieur. En déposant leurs produits chimiques dans une masse enchevêtrée de tuyaux et de cheminées, elles créaient parfois des caricatures naturelles de châteaux ou de cathédrales gothiques en ruine, d'où des liquides noirs brûlants suintaient en palpitant d'un rythme lent, comme propulsés par les battements d'un cœur puissant. Et, comme le sang, ils étaient un authentique signe de vie.

Les fluides bouillants repoussaient le froid mortel tombant du ciel et formaient des îles de chaleur sur le fond de la mer. Et, ce qui avait plus d'importance encore, ils amenaient de l'intérieur d'Europe toute la chimie de la vie. Là, dans un environnement qui eût été autrement totalement hostile, il y avait de l'énergie et de l'alimentation en abondance. De tels évents géothermiques avaient été découverts dans les océans de la Terre, au cours de la même décennie qui avait donné à l'Humanité son premier aperçu des satellites galiléens.

Dans les zones tropicales, voisines des évents, proliféraient des myriades de créatures délicates, arachnéennes, analogues à des plantes mais capables de mouvement. Des limaces et des vers singuliers rampaient parmi elles, certains se nourrissant des « plantes », d'autres trouvant directement leur alimentation dans les eaux minérales autour d'eux. À de plus grandes distances de ces sources de chaleur — le feu sous-marin auquel toutes ces créatures se chauffaient —, vivaient des organismes plus résistants, plus robustes, assez semblables aux crabes et aux tourteaux.

Des armées de biologistes auraient pu passer des années à étudier une seule petite oasis. Contrairement aux mers terrestres du paléozoïque, l'océan caché d'Europe n'était pas un environnement stable, alors l'évolution y avait progressé rapidement, en produisant une multitude de formes fantastiques qui toutes étaient en sursis ; tôt ou tard, chaque fontaine de vie s'affaiblirait et se tarirait tandis que les forces qui la créaient porteraient leur intérêt ailleurs. L'abysse était jonché des preuves de ces drames, de cimetières de squelettes et de restes incrustés de minerai, là où des chapitres entiers avaient été rayés du livre de la vie.

Il y avait d'énormes coquillages, ressemblant à des trompettes plus grandes qu'un homme. Il y avait des clams de diverses formes, bivalves et même trivalves. Et puis il y avait des motifs de pierre en spirale, de plusieurs mètres de large, qui semblaient les répliques exactes des belles ammonites qui ont si mystérieusement disparu des océans de la Terre à la fin du crétacé.

Dans de nombreux endroits, des feux brûlaient au fond de l'abysse, alors que des fleuves de lave incandescente coulaient sur des dizaines de kilomètres dans des vallées englouties. À cette profondeur, la pression était telle que l'eau en contact avec le magma rougi à blanc ne pouvait se transformer en vapeur et les deux liquides coexistaient dans une espèce de paix armée.

Ici, sur un autre monde et avec des acteurs étrangers, quelque chose de semblable à l'histoire de l'Égypte antique s'était déroulé bien avant la venue de l'homme. De même que le Nil avait pris naissance dans un étroit ruban de désert, ainsi ces fleuves de chaleur avaient donné la vie aux profondeurs européennes. Le long de leurs bords, sur des bandes rarement plus larges qu'un kilomètre, des espèces s'étaient succédé qui avaient évolué, étaient devenues florissantes et avaient disparu. Et certaines avaient laissé des monuments, sous forme de rochers entassés les uns sur les autres ou de curieuses formations de tranchées creusées dans le fond de la mer.

Dans ces étroites bandes fertiles, dans les déserts des profondeurs, des cultures et des civilisations primitives étaient nées, étaient mortes. Et le reste de leur monde n'en avait jamais rien su car toutes ces oasis de chaleur étaient aussi isolées les unes des autres que les planètes elles-mêmes. Les créatures qui lézardaient à la douceur du fleuve de lave, qui se nourrissaient là, ne pouvaient traverser le désert hostile séparant leurs îles isolées. Si jamais elles avaient produit des historiens et des philosophes, chaque culture aurait été convaincue d'être absolument seule dans l'univers.

Et chacune était condamnée. Non seulement ses sources d'énergie étaient sporadiques et constamment changeantes mais les forces des marées qui les animaient faiblissaient régulièrement. Même s'ils évoluaient jusqu'à la véritable intelligence, les Europiens devaient périr dans la glaciation finale de leur monde.

Ils étaient prisonniers, entre le feu et la glace, et le restèrent jusqu'à ce que Lucifer explose dans leur ciel et ouvre leur univers.

Et une immense forme rectangulaire, aussi noire que la nuit, se matérialisa près de la côte d'un continent nouveau-né.

59. TRINITÉ

— C'ÉTAIT BIEN FAIT. MAINTENANT, ILS NE SERONT PAS tentés de retourner.

— J'apprends beaucoup de choses, mais je suis encore attristé, quand même, que ma vieille vie s'échappe.

— Cela aussi passera ; moi aussi je suis retourné sur Terre, pour voir ceux que j'aimais jadis. Maintenant je sais qu'il y a des choses plus grandes que l'Amour.

— Quelles sont-elles ?

— La compassion, d'abord. La justice. La vérité. Et il y en a d'autres.

— Cela ne m'est pas difficile à accepter. J'étais un très vieil homme, pour un individu de mon espèce. Les passions de ma jeunesse s'étaient éteintes depuis longtemps. Que va-t-il arriver à... au *véritable* Heywood Floyd ?

— Vous êtes tous deux également véritables. Mais il mourra bientôt, sans jamais savoir qu'il est devenu immortel.

— Un paradoxe... mais je comprends. Si cette émotion

survit, peut-être serai-je un jour reconnaissant. Dois-je vous remercier... ou le monolithe ? Le David Bowman que j'ai connu il y a une vie entière ne possédait pas ces pouvoirs.

— Non, en effet. Beaucoup de choses se sont passées à cette époque. Hal et moi avons beaucoup appris.

— Hal ! Il est ici ?

— Je le suis, professeur Floyd. Je ne pensais pas que nous nous retrouverions, surtout pas de cette façon. Être votre écho, c'était un problème intéressant.

— Mon écho ! Ah oui, je vois ! Pourquoi avez-vous fait ça ?

— Quand nous avons reçu votre message, Hal et moi avons su que vous pourriez nous aider, ici.

— Vous aider... *vous* ?

— Oui, bien que cela vous paraisse étrange. Vous avez beaucoup de science et d'expérience qui nous manquent. Appelons cela de la sagesse.

— Merci. Était-il sage de ma part d'apparaître à mon petit-fils ?

— Non. Cela a causé bien des embarras. Mais c'était utile. Ces choses-là doivent être soupesées.

— Vous dites que vous aviez besoin de mon aide. Pour quoi ?

— Malgré tout ce que nous avons appris, il y a encore beaucoup de choses qui nous échappent. Hal a fait le tableau des systèmes internes du monolithe et nous pouvons contrôler quelques-uns des plus simples. C'est un outil, un instrument qui sert à diverses intentions. Sa principale fonction semble être de catalyser l'intelligence.

— Oui, nous le soupçonnions. Mais il n'y avait pas de preuves.

— Il y en a une, maintenant que nous pouvons puiser dans ses mémoires, quelques-unes du moins. En Afrique, il y a quatre millions d'années, il a donné à une tribu de singes mourant de faim l'élan qui a abouti à l'espèce humaine. Maintenant, il répète cette expérience ici... mais à un prix effroyable.

» Quand Jupiter a été converti en un soleil, pour que ce

monde puisse réaliser son potentiel, une autre biosphère a été détruite. Permettez-moi de vous la montrer, telle que je l'ai vue jadis...

Alors qu'il tombait dans le cœur rugissant du Grand Point Rouge, avec la foudre de ses orages vastes comme des continents tonnant autour de lui, il savait pourquoi cela avait duré des siècles, bien que formé de gaz bien moins substantiels que ceux qui avaient créé les ouragans de la Terre. Le hurlement strident du vent d'hydrogène s'atténuait alors qu'il sombrait dans de plus calmes profondeurs, et une nappe de flocons de neige cireux — qui s'amoncelaient déjà en impalpables montagnes de mousse d'hydrocarbure — descendait des hauteurs. Il faisait déjà assez chaud pour qu'existe de l'eau liquide mais il n'y avait là aucun océan ; cet environnement purement gazeux était trop ténu pour cela.

Il plongea à travers des couches et des couches de nuages, jusqu'à pénétrer dans une région d'une telle clarté que la vue humaine elle-même se serait étendue à plus d'un millier de kilomètres à la ronde. Ce n'était qu'une turbulence mineure dans le vaste tourbillon du Grand Point Rouge et elle contenait un secret que l'homme avait deviné depuis longtemps sans jamais pouvoir le vérifier.

Autour des contreforts des montagnes de mousse à la dérive, il y avait des myriades de petits nuages aux contours bien définis tous à peu près de la même taille et portant les mêmes marbrures rouges et brunes. Ils n'étaient petits qu'en comparaison avec l'échelle inhumaine de ce qui les environnait ; le moins important aurait couvert une ville moyenne.

Ils étaient manifestement vivants car ils se déplaçaient de façon lente et délibérée le long des flancs des montagnes aériennes, en paissant sur leurs pentes comme des moutons colossaux. Et ils causaient entre eux sur la fréquence métrique ; leur voix radiodiffusée était faible mais nette dans les craquements et les grondements de Jupiter.

Sacs à vent vivants, ils flottaient dans l'étroite zone entre les hauteurs glaciales et des profondeurs brûlantes. Étroite, oui, mais un domaine infiniment plus grand que toute la biosphère de la Terre.

Ils n'étaient pas seuls. D'autres créatures allaient et venaient rapidement parmi eux, si petites qu'elles auraient pu facilement passer inaperçues. Certaines présentaient une ressemblance quasi surnaturelle avec des avions terrestres, et elles étaient à peu près de la même taille. Mais elles aussi étaient vivantes; des prédateurs, peut-être, ou des parasites. Peut-être même des bergers...

... et il y avait des torpilles à réaction semblables aux seiches des océans terrestres, qui chassaient et dévoraient les grands sacs-à-vent. Mais les ballons n'étaient pas sans défense; certains ripostaient avec des éclairs électriques et des tentacules griffus comme des scies à ruban d'un kilomètre.

Il y avait même des formes encore plus bizarres, exploitant toutes les possibilités de la géométrie, de singuliers losanges translucides, des tétraèdres, des sphères, des polyèdres, des nœuds de rubans tressés... Gigantesque plancton de l'atmosphère jupitérienne, ils étaient conçus pour flotter comme des fils de la Vierge aux courants ascendants, jusqu'à ce qu'ils aient vécu assez longtemps pour se reproduire; ils étaient alors emportés dans les profondeurs pour y être carbonisés et recyclés en une nouvelle génération.

Il fouillait un monde plus de cent fois plus grand que la Terre et s'il y trouvait beaucoup de merveilles, il n'y avait là rien qui présentât un soupçon d'intelligence. À la radio, les voix des grands ballons ne contenaient que de simples messages d'avertissement ou de peur. Même les chasseurs, dont on pouvait attendre qu'ils eussent atteint un plus haut niveau d'organisation, étaient comme les requins dans les océans de la Terre, des automates sans volonté.

Et en dépit de sa stupéfiante immensité et de sa nouveauté, la biosphère de Jupiter était un monde fragile, un lieu de brumes et d'embruns, de délicats fils d'argent et de nappes fines comme du papier tissées par la chute de neige continuelle de pétrochimie née dans la haute atmosphère. Peu de ses fabrications étaient plus substantielles que des bulles de savon; ses *prédateurs les plus terrifiants pouvaient être mis en pièces par les plus faibles des carnivores terrestres...*

— Et toutes ces merveilles ont été détruites... pour créer Lucifer ?

— Oui. Les Jupitériens ont été mis dans la balance, contre les Européens... et n'ont pas fait le poids. Peut-être, dans cet environnement gazeux, n'auraient-ils jamais pu développer une réelle intelligence. Est-ce que cela devait les condamner ? Hal et moi cherchons encore la réponse à cette question, qui est une des raisons pour lesquelles nous avons besoin de votre aide.

— Mais comment pouvons-nous nous attaquer, *nous*, au monolithe... le dévoreur de Jupiter ?

— Il n'est qu'un instrument ; il possède une vaste intelligence mais pas de conscience. En dépit de tous ses pouvoirs, Hal, vous et moi lui sommes supérieurs.

— J'ai du mal à le croire. Cela dit, quelque chose a dû créer le monolithe.

— Je l'ai rencontré une fois — si on peut dire ainsi — quand *Discovery* est arrivé sur Jupiter. « Il » m'a renvoyé dans l'état où je suis à présent, pour servir ses intérêts sur d'autres mondes. Je n'en ai plus eu de nouvelles depuis ; maintenant nous sommes seuls... du moins pour le moment.

— Je trouve cela rassurant. Le monolithe est bien suffisant.

— Mais il y a aujourd'hui un problème plus grave. *Quelque chose a mal tourné...*

— Je ne savais pas que je pouvais encore connaître la peur...

— Quand le mont Zeus est tombé, il aurait pu détruire totalement ce monde-ci. Son impact était imprévu, et même imprévisible. Aucun calcul n'aurait permis d'imaginer un tel événement. Il a dévasté d'immenses régions du fond de l'océan européen, exterminé des espèces entières, dont quelques-unes qui nous inspiraient de grands espoirs. Le monolithe lui-même s'est renversé. Il a même pu être endommagé, des programmes ont peut-être été atteints. Il est certain qu'ils n'ont pas su parer à toutes les éventualités ; comment l'auraient-ils pu, dans un univers quasi infini, où le hasard peut toujours détruire les plans les mieux ourdis ?

— C'est vrai... autant pour les hommes que pour les monolithes.

— Nous devons être tous trois les administrateurs de l'imprévu, ainsi que les gardiens de ce monde. Vous avez déjà fait la connaissance des Amphibies ; il vous reste à connaître les Draineurs de lave à carapace de silicone et les Flotteurs qui moissonnent dans la mer. Notre mission est de les aider à réaliser la leur, peut-être ici, peut-être ailleurs.

— Et l'Humanité ?

— J'ai par moments été tenté de me mêler des affaires humaines, mais l'avertissement donné à l'Humanité s'applique aussi à moi.

— Nous ne l'avons pas très bien suivi.

— Assez bien, quand même. En attendant, il y a beaucoup à faire avant que le bref été d'Europe se termine et que revienne le long hiver.

— Combien de temps avons-nous ?

— Bien peu. À peine mille ans. *Et nous ne devons pas oublier les Jupitériens.*

3001

60. MINUIT SUR L'ESPLANADE

LE CÉLÈBRE ÉDIFICE QUI DOMINAIT DANS SA SPLENDEUR solitaire la forêt du centre de Manhattan, avait peu changé en mille ans. Il appartenait à l'Histoire et avait été religieusement conservé. Comme tous les monuments historiques, il était revêtu depuis longtemps d'une micropellicule de diamant destinée à l'immuniser contre les ravages du temps.

Personne ayant assisté à la première assemblée générale n'aurait pu se douter que plus de neuf siècles s'étaient écoulés. On aurait été en revanche intrigué, sans doute, par la dalle noire unie dressée sur l'esplanade, imitant presque la forme du bâtiment de l'ONU. Si l'on avait — comme tout le monde — allongé la main pour la toucher, on aurait été surpris par le glissement bizarre des doigts sur la surface noire.

Mais on aurait été encore plus surpris — et même totalement bouleversé — par la transformation des cieux...

Les derniers touristes étaient partis depuis une heure et l'esplanade était complètement déserte. Le ciel était sans nuages et quelques-unes des étoiles les plus brillantes demeu-raient visibles ; toutes les autres avaient été éteintes par le minuscule soleil qui brillait à minuit.

La lumière de Lucifer n'étincelait pas seulement sur le verre noir de l'antique édifice mais aussi sur l'étroit arc-en-ciel argenté enjambant le ciel au sud. D'autres lumières allaient et venaient autour de lui, très lentement, tandis que le commerce du système solaire faisait la navette entre tous les mondes de ses deux soleils.

Et si l'on regardait très attentivement, il était tout juste pos-sible de distinguer le mince fil de la Tour de Panama, un des six cordons ombilicaux en diamant reliant à la Terre ses enfants dispersés, s'élevant à vingt-six mille kilomètres au-des-sus de l'équateur pour rejoindre l'Anneau autour du Monde.

Soudain, presque aussi rapidement qu'il était né, Lucifer se mit à pâlir. La nuit que les hommes n'avaient pas connue depuis trente générations envahit de nouveau le ciel. Les étoiles bannies reparurent.

Et pour la seconde fois en quatre millions d'années, le monolithe se réveilla.

REMERCIEMENTS

JE REMERCIE TOUT PARTICULIÈREMENT LARRY SESSIONS ET Gerry Snyder de m'avoir fourni les positions de la comète de Halley lors de sa prochaine apparition. Ils ne sont responsables d'aucune des perturbations orbitales que j'ai introduites.

J'ai une dette spéciale de reconnaissance envers Melvin Ross, du laboratoire national Lawrence Livermore, non seulement pour son brillant concept des planètes à noyau de diamant mais aussi pour m'avoir transmis des copies de son article historique (je l'espère) sur ce sujet.

Je suis sûr que mon vieil ami le Pr Luis Alvarez s'amusera de mon extrapolation démente de ses recherches et je le remercie de son aide considérable et de son inspiration durant les trente-cinq dernières années.

Mes vifs remerciements à Gentry Lee de la NASA, mon coauteur de *Cradle*, pour avoir transporté à la main, de Los Angeles à Colombo, la Kaypro 2000 portative qui m'a permis d'écrire cet ouvrage dans les coins les plus insolites et — surtout — les plus isolés.

Les chapitres 5, 58 et 59 sont basés sur du matériel adapté de mon livre *2010 : odyssée Deux* (un auteur a bien le droit de se plagier lui-même, non ?)

J'espère enfin que le cosmonaute Alexei Leonov m'a aujourd'hui pardonné de l'avoir associé au Pr Andrei Sakharov (encore exilé à Gorki quand *2010* leur a été dédié, à tous deux conjointement). Et j'exprime mes très sincères regrets à mon aimable hôte et éditeur de Moscou Vassili Jartchenko pour lui avoir causé de graves ennuis en utilisant les noms de divers dissidents, dont la plupart, je suis heureux de le dire, ne sont plus emprisonnés. Un jour, j'espère, les abonnés de *Tekhnika Molodejy* pourront lire les passages de *2010* qui ont si mystérieusement été censurés...

Arthur C. Clarke
Colombo, Sri Lanka
25 avril 1987

ADDENDUM

Depuis l'achèvement de ce manuscrit, il s'est passé une chose étrange. J'avais l'impression d'écrire de la fiction mais je me trompais peut-être. Considérez cette suite d'événements :

1. Dans *2010 : Odyssée deux*, le vaisseau spatial *Leonov* était propulsé par la « poussée Sakharov ».

2. Un demi-siècle plus tard, dans *2061 : odyssée trois*, au chapitre 8 les vaisseaux spatiaux sont propulsés par la réaction de « fusion froide » de muon catalysé, découverte par Luis Alvarez et consorts dans les années 1950. (Voir son autobiographie, *Alvarez*, NY : Basic Books, 1987).

3. D'après le *Scientific American* de juillet 1987, le Pr Sakharov travaille en ce moment à la production d'énergie nucléaire basée sur « ... le muon catalysé ou fusion "froide", qui exploite les propriétés d'une particule élémentaire, exotique et éphémère en relation avec l'électron... Les adeptes de la "fusion froide" font observer que toutes les

réactions clefs fonctionnent mieux à 900º degrés centigrades seulement... » (*Times,* 17 août 1987).

J'attends maintenant, avec grand intérêt, les commentaires de l'académicien Sakharov et du Pr Luis Alvarez...

Arthur C. Clarke
10 septembre 1987

AU SUJET DE L'AUTEUR

Arthur C. Clarke est né en 1917, à Minehead, dans le Somerset, en Angleterre. Il a fait ses études au Kings College de Londres où il a obtenu les premiers prix d'honneur en physique et en mathématiques. Il a été secrétaire de la Société interplanétaire britannique, il est membre de l'Académie d'astronautique, de la Société royale astronomique et de nombreuses autres organisations scientifiques. Pendant la Seconde Guerre mondiale, en tant qu'officier de la RAF, il a dirigé les premiers essais de radar antiaérien. Son seul roman qui ne soit *pas* de la science-fiction, *Glide Path*, est tiré de cette expérience.

Il a écrit cinquante livres, dont vingt millions d'exemplaires ont été imprimés en plus de trente langues différentes, et s'est vu décerner de nombreux prix en particulier le prix Kalinga 1961, le prix AAAS-Westinghouse du livre scientifique, le prix Bradford Washburn, ainsi que le Hugo, le Nebula et le prix John W. Campbell — ces trois derniers pour son roman *Rendez-vous avec Rama*.

En 1968, il a partagé un oscar avec Stanley Kubrick pour *2001: L'Odyssée de l'Espace*, et sa série TV de treize épisodes, *L'Univers mystérieux d'Arthur C. Clarke*, a été programmée dans de nombreux pays. Il s'est joint à Walter Cronkite pour commenter les missions Apollo à la CBS.

Pour son invention du satellite de communications, en 1945, il s'est vu décerner des honneurs multiples, tels que la Bourse internationale Marconi pour 1982, une médaille d'or de l'Institut Franklin, la chaire Vikram Sarabhai au laboratoire de recherches physiques d'Ahmedabad, et une bourse du Kings College de Londres. Le président du Sri Lanka l'a nommé récemment chancelier de l'université de Moratuwa, près de Colombo.

DU MÊME AUTEUR
aux Éditions Albin Michel

Terre, planète impériale

2010 : odyssée deux

Chants de la terre lointaine

La composition de ce livre
a été effectuée par Comp'Infor à Saint-Quentin
l'impression et le brochage ont été effectués
sur presse CAMERON
dans les ateliers de la S.E.P.C. à Saint-Amand-Montrond (Cher)
pour les Éditions Albin Michel

Achevé d'imprimer en juin 1989
N° d'édition 10770. N° d'impression 1266.
Dépôt légal : juin 1989.

Imprimé en France